Jan Philipp Zymny

Den Weltuntergang hätte ich mir doch anders vorgestellt

Den Weltuntergang hätte ich mir doch anders vorgestellt

Jan Philipp Zymny

Erste Auflage 2024

Lektora GmbH
Schildern 17–19
33098 Paderborn
Tel.: 05251 6886809
Fax: 05251 6886815
www.lektora.de

Druck: OSDW Azymut, Lódź
Covermotiv und Autorenfoto: Fabian Stürtz, fabian-stuertz.com
Covermontage: Olivier Kleine, olivierkleine.de
Lektorat und Layout Inhalt: Lektora GmbH, Denise Bretz
Korrektorat: Lena Wiewel
Printed in Poland

ISBN: 978-3-95461-260-4

Inhalt

Fast vergessene Texte

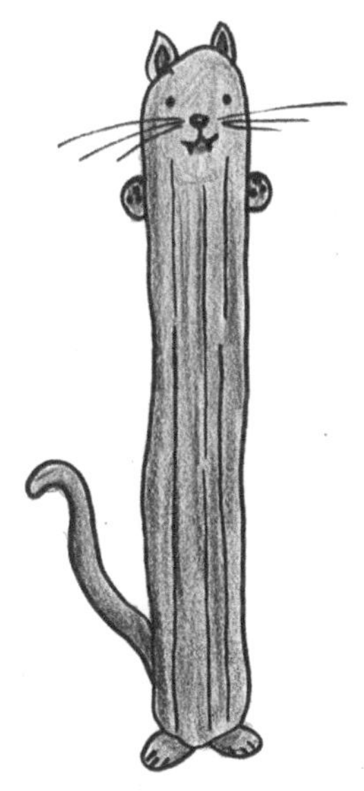

GURKENKATZE – SIE FÜRCHTET SICH
AM MEISTEN VOR SICH SELBST

Hallo

»Mein Name ist Seniora Fick und ich bin gekommen, um mir aus Ihren Hamstern ein Kleid zu nähen!«, rufe ich und eine gespannte Stille legt sich über die Zoohandlung. Ich war noch nie gut darin, andere Menschen zu begrüßen. Schlicht und einfach »Hallo« zu sagen, liegt mir nicht.

Weil nach »Hallo« ALLES passieren kann. Es gibt zu viele Möglichkeiten. Du sagst »Hallo« und dann reagieren die Menschen darauf mit irgendwas zwischen Sex und Mord. Das ist das Spektrum. Und es ist überhaupt nicht abzusehen, wo auf diesem Spektrum die Reaktion der Menschen liegen wird. Ich würde mich nicht wundern, wenn ich ganz leger »Hallo« sagte und dann von den Begrüßten wortlos in einen kargen Raum geführt würde, in dem 17 nackte Clowns wütend einen Traktor rasieren.

Denn das Problem ist: »Hallo« ist eine Aufforderung zum Gespräch, ohne dabei ein Gesprächs*thema* mit an die Hand zu geben. Reines Potential, das in den Raum geschmissen wird, mit der Erwartung, dass man irgendwie darauf reagiert. Es ist also nur logisch, wenn man nach »Hallo« sofort wütend wird ...

»Hallo.«

»WAS? WAS? WAS? Was ist los? Steh ich in Flammen oder so?«

»Äh … nein.«

»Was soll das dann hier mit Ihrem ›Hallo, Hallo, Hallo‹, hm?«

»Jetzt hab ich vergessen, was ich sagen wollte.«

»Gut so! Tschüss.«

Man sollte das »Hallo« einfach weglassen und direkt zu den wichtigen Dingen kommen wie Wünschen und Bedürfnissen. Leute sollten sich nach acht Jahren auf der Straße wiederbegegnen und rufen: »WUARGH! Ich habe sechs Tage nichts gegessen! Ich brauche eine Ananas, sonst muss ich sterben!« – »Toll! Zufällig habe ich eine Ananas und wünsche mir, jemanden beim Essen dieser Ananas zu beobachten.« – »Perfekt! Los geht's!«

Und dann fallen sie sich weinend in die Arme und gehen Minigolf spielen. Was Menschen halt so machen.

Ich vermute, vor allem soll »Hallo« vermitteln, dass man die Anwesenheit einer anderen Person erkannt hat. Das ist ja legitim. Aber warum dafür direkt ein ganzes Wort benutzen? Vor allem ein Wort, das so viel Erwartungsdruck mit sich bringt. Da reicht doch ein simples Kopfnicken aus.

Manchmal kann man so bestimmte Männer auf der Straße beobachten, die sich einfach nur zunicken und sofort weitergehen. Niemand weiß, was das bedeuten soll. Am wenigsten die Männer selbst. Es kann alles bedeuten. Sogar zwei verschiedene Dinge. Es ist schon vorgekommen, dass sich zwei Männer auf der Straße zugenickt haben und der erste meinte: »Ich glaube, ich habe Sie schon mal irgendwo gesehen.«

Und der zweite meinte: »Die Leiche wurde wie besprochen entsorgt.«

Aber eines bedeutet es eben nicht: »Lass uns miteinander sprechen.« Und das ist wundervoll.

Das sind ohnehin wundervolle Männer, die sowas machen. Männer, die aus vollem Herzen heraus Entscheidungen treffen, von denen sie keine Ahnung haben und deren Konsequenzen sie auch gar nicht absehen können. Männer sind das, die eine Brücke bauen und dann sagen: »Mooooment! Moment mal. Warte mal kurz ... Hier ist gar kein Fluss.«

Selbst wenn man es schafft, das wechselseitige »Hallo« hinter sich zu lassen, erzwingt die ihm innewohnende Inhaltslosigkeit direkt ein »Wie geht's?«. Und das ist fast genauso schlimm ... denn dann muss man sofort lügen. Dann muss man lügen und was Kultiviertes sagen. So was wie: »Hmppphmp ... gut. Gut, gut. Ich habe jetzt Ballonorgien für mich entdeckt. Ja, man fliegt mit einem Heißluftballon ganz hoch hinauf und dann pimpert man sich im Korb ordentlich durch. Für den Ballonfahrer ist das furchtbar unangenehm, wenn der die ganze Zeit danebensteht, aber das Gefühl, komplett befriedigt auf die Weite der Landschaft zu schauen, während man langsam zum Boden zurücksinkt, ist schlicht und ergreifend atemberaubend. Und wie geht es Ihnen so?«

Und dann trinkt man gemeinsam Rotwein aus flamingoförmigen Gläsern, während man so tut, als würde man dabei zuhören, wie die andere Person von Pferden redet, die mittelständische Unternehmen gründen.

Aber man muss lügen. Man kann auf die Frage »Wie geht's?« nicht ehrlich antworten, denn das wäre noch schlimmer als die Lüge: »Wissen Sie was? Ich hab mir gerade in die Hose geschissen. So sieht's aus. Weil ... Also, das kam so ... ich war seit ungefähr 16 Stunden nicht auf dem Klo, obwohl ich musste, und zwar weil ich ganz dringend im Internet Katzenvideos angucken wollte ... Außerdem bin ich betrunken und ich weiß nicht, ob Ihnen das aufgefallen ist, aber ... ich brenne ... jetzt im Augenblick ... Hm? Oh, ja, seit Mittwoch.« Da würde ja niemand mehr mit mir sprechen wollen, egal, wie oft ich »Hallo« sage.

Was können wir also tun, um dieses Problem zu lösen, wenn jemand das Gespräch mit »Hallo« eröffnet und mit »Wie geht's?« fortgeführt hat?

Ich bin der Meinung, wir müssen der Begrüßungsfloskel eine inhaltliche Richtung geben, damit sofort klar ist, wohin das Gespräch läuft. Ich schlage darum vor, dass wir zwischen »Hallo«, »Hollo«, »Hillo«, »Hello«, »Hellau« und »Hullo« unterscheiden.

»Hallo« bedeutet: Ich begrüße Sie und möchte ein Gespräch mit Ihnen führen.

»Hollo« bedeutet: Ich erkenne höflich Ihre Existenz an. Da hört es dann aber auch auf.

»Hillo« bedeutet: Hihihi, ich bin sechs Jahre alt und hab nur 'ne grobe Vorstellung davon, wie Sprache funktioniert.

»Hello« bedeutet: Hahaha, ich bin Amerikaner. Bringen Sie mich umgehend zum nächsten Burger King und verkaufen Sie mir ein Sturmgewehr!

»Hellau« bedeutet: Achtung! Ich habe eine schlimme Geisteskrankheit, die einmal im Jahr ausbricht. Reden Sie lieber nicht mit mir.

Und »Hullo« bedeutet: Honhonhon, reiben Sie mich sofort mit Olivenöl ein! Der Heißluftballon steht bereit.

Alternativ kann man aber auch einfach in die Zoohandlung gehen und rufen: »Mein Name ist Seniora Fick und ich bin gekommen, um mir aus Ihren Hamstern ein Kleid zu nähen.«

Die Gneidelmühle

»Herzlich Willkommen, meine sehr verehrten Zuschauerinnen und Zuschauer, zu unserer kleinen Reportage über altes Handwerk im Ruhrgebiet. Wir befinden uns heute in Hattingen-Blankenstein, direkt an der schönen Ruhr, bei Deutschlands letzter bewirtschafteter Gneidelmühle. Neben mir steht der Inhaber und Betreiber der Gneidelmühle, Herr Mottek Waffziki. Guten Tag, Herr Waffziki.«

»Dat heißt *Waffziki*, wa?«

»Ja, das hab ich doch gesagt.«

»Nee, hamse nich'. Sie ham gesagt: *Waffziki*. Heißt aber Waffziki*wa*.«

»Ach sooo! Waffziki*wa*. Wie bei dem alten polnischen Sprichwort.«

»Welchet Sprichwort?«

»Waffzikiwa dzień dobry kurwa mashallah pendejo Tscheburek.«

»Wat soll dat denn heißen?«

»Das heißt: Warum hast du keine Katze?«

»Hömma ... Sach doch einfach Mottek.«

»Also gut. Herr Mottek, Sie betreiben seit 1993 die Gneidelmühle Blankenstein ... Warum? Vielleicht erzählen Sie uns erst was zur Geschichte dieses traditionsreichen Hauses.«

»Jo. Pass auf. Gegneidelt hamse hier am Ufer vonne Ruhr schon lange. Dat reicht bis inne Antike zurück, mit dem sogenannten Handgneideln mit Gneideisen und dann hamse letztens bei Ausgrabungen noch Belege gefunden, dat hier vorher inne Steinzeit auch schon gegneidelt wurde, aba dat is' dann Frühgneidelei. Man spricht da auch von Beingegneidel – wegen den Knochen. Dat is' mit dem Gneideln, wie wir es kennen, eigentlich gar nicht vergleichbar.«

»Aha, was waren das für Ausgrabungen? Mir ist da gar nichts bekannt.«

»Jo, dat war auch eher private Forschung, wa? Der Sohnemann vonne Ulrike hat mitte Schippe innen Sandkasten gebuddelt und dann is' der in 16 Metern Tiefe auf so'n Beingneidler gestoßen.«

»Oh, wie ist der denn so weit runtergekommen?«

»Dat darfste eigentlich nich' laut sagen, aba die Ulrike hat den vergessen. Ja, komm ... Bis der dat aufgefallen war, dat der Knirps wech is' ... und die dann auch ausm Portugalurlaub zurück war, da war der Kleine auf 16 Meter runter, ne?«

»Aha. Nun, das ist ja so interessant nicht. Wie hat es denn mit dieser Gneidelmühle seinen Anfang genommen?«

»Also. Diese Gneidelmühle is' seit dem 11. Jahrhundert urkundlich verbrieft und hat dann die vielen kleinen Handgneidelbetriebe der Region zusammengefasst, sodass dann ers'mals im großen Stil Antimaterie hergestellt werden konnte. Die Antimaterienherstellung lief im Mittelalter eigentlich per Hand, wat 'ne unglaublich beschissene Angelegenheit is', weil du kanns' die Antimaterie ja nich' anpacken. Die geht sofort kaputt, ne! Joa, bis zum 14. Jahrhundert wurde die Produktion dann sukzessive hochgefahren und man produzierte hier dann auch Socken, Schwerter, Gerstenbrei und Game Boys. Mit den Game Boys konnten die damals aber noch nix anfangen, weil ... äh ... gab noch keine Batterien. Bedauerlicherweise hat die Mühle 1412 in einer Überflutung Feuer gefangen und is' bis 1458 Stück für Stück niedergebrannt. Mit Beginn der Renaissance waren die Trümmer dann so weit abgekühlt, dat man mit dem Wiederaufbau beginnen konnte. Da ham die direkt die Gelegenheit genutzt und 'n zweites Mühlrad eingebaut un dat hat dann mit einem Schlag die Produktivität verzehnfacht. Die nächs'en 400 Jahre konnte die Mühle damit endlich ihrer eigentlichen Aufgabe nachgehen – nämlich der industriellen Verhüttung von Currywurst. Und auch heute noch is' ja das gesamte Ruhrgebiet aus Currywurst gebaut. Auch Herbert Grönemeyer ... Vor allem Herbert Grönemeyer! Während der Weltkriege lag die Mühle dann wieder still. Man wollte hier zwar Treibstoff, Verbände, Gegner und Kaugummi produzieren, aber zu der Zeit nistete im Schornstein ein Storchenpaar. Da musste dann natürlich der gesamte Betrieb eingestellt werden. Joa. Wiedereröffnet wurde sie dann erst 1981 von meinem Vadder, bewusst als Kulturerbe, um wieder ganz traditionell zu gneideln und in kleiner Stückzahl auch Autoreifen zu fertigen sowie logischerweise auch dat Hauptabfallprodukt der Reifenherstellung ... Vanille-Cola. Kurz darauf war ich dann gezwungen, für meinen Vadder zu übernehmen. Der war nämlich bei Wartungsarbeiten unter den olfaktorischen Hammer geraten. Der war nicht abgeschaltet und hat ihn dann so *(matschende Handbewegung)* komplett atomisiert.«

»Oh, das tut mir aber leid. Das war bestimmt nicht einfach für Sie.«

»Ach, is' nich' schlimm. So hatter sich's gewünscht, ne? Hat immer gesacht: ›Junge, guck, dat der Hammer aus is', ich seh's schon kommen, dat ich darunter liech ...‹ Und genauso isset ja dann auch passiert.«

»Na gut, dann nehm ich mein Beileid zurück. Kommen wir zum Prozess des Gneidelns an sich. Wie genau geht das vonstatten?«

»Jau. An sich geht dat mit dem Gneideln so: Wir beginnen mit dem Ausgangsstoff Lackmurpfe. Die findeste eigentlich in allen alten Sportsocken. Die Lackmurpfe wird dann auf der Frunzbemme verzorzelt bis zu einer Kerntemperatur von etwa 78.000 Grad. Unsere Frunzbemme schafft je nach Neigungswinkel bis zu 134.000 Grad, aber dat brauchste eigentlich nich'. Dat is' viel zu heiß. Die verzorzelte Lackmurpfe wird dann mit Stoß- und Hohlgneidel weiterbearbeitet, bis sich die Farbe zu einem sanften Ocker ändert. Dann wird mit dem Sperzbeibel die oberste Schicht abgetragen. Die kommt wech. Kannste diese gelben Fusseln auf Tennisbällen draus machen ... oder die halt wegschmeißen. Is' eigentlich auch egal. Jedenfalls, was übrigbleibt, is' der sogenannte Kernbeibel, ab jetzt spricht man auch schon vom Rohgneid. Der is' aber noch viel zu aktiv, um gefahrlos weiterverarbeitet zu werden, deshalb tragen wir den auch ersmal an der Schrunzfimbel vorbei, was natürlich die atomare Dichte auf 12 erhöht. Logisch. Der Geruch ist dann bis nach Hamburg wahrnehmbar. Der beruhigte Rohgneid wird daraufhin in der Knieschräppe gelerrzt. Und zwar bis zur sogenannten Meganormalität. Der is' dann wirklich herausragend mittel. Dat dauert je nach Luftfeuchtigkeit und Mondphase so sechs bis 800 Tage. Danach bricht der Rohgneid auf und gibt die Spemme frei, welche dann mit der niederohmschen Gabel zügig durchgeförbelt wird. Dat machen wa auch heute noch von Hand. Damit erzielste einfach dat beste Ergebnis. Zu diesem Zeitpunkt ist die Spemme natürlich giftig ... Dat gibt sich erst nach einem Wechselbad in Spätlauge und Frühsäure. Den Vorgang bezeichnet man allgemein als ›die westfälische Faltung‹. Danach steht eigentlich nur noch ein Arbeitsschritt an ...«

»Gott sei Dank!«

»Wat? Ruhe hier! Der letzte Arbeitsschritt is' die sogenannte Elementarisierung. Dabei durchwandert die gefaltete Spemme jedes der fünf Elemente: Feuer, Wasser, Erde, Luft und Spurke. Und is' danach als Edelgneid Ausgangstoff für viele Produkte wie ... äh ... Schubkarren, Salmiakbonbons, Perücken und und und.«

»Ja, danke, das war doch sehr erhellend ...«

»Echt?«

»Nein. Vielleicht zum Abschluss noch die Frage: Was war denn das Lustigste, was Sie hier in der Gneidelmühle Blankenstein erlebt haben?«

»Dat Lustigste? Äh ... Wir ham hier einmal aus Versehen den ersten Opel hergestellt.«

»Aus Versehen? Wie das denn?«

»Joa, wir wollten eigentlich nur Kaffee machen, als plötzlich ...«

(RING, RING!) »Entschuldigung, mein Telefon!«

»Bisse bekloppt? Wat hass du Stratege die Funke denn nich' ausgemacht?«

»Sollte ich?«

»Natürlich? Weißte, was die Handystrahlung in der Frunzbemme auslöst?«

»Erstaunlicherweise nicht.«

»Dat gibt 'ne komplette subatomare Rückkopplung, die uns eine Unwucht in den olfaktorischen Hammer ... *(Im Hintergrund fängt die Gneidelmühle Feuer)* Scheiße, jetzt sind die Hohlgneidel am Brennen, ich werd bekloppt! Schnell, bring ma' einer Benzin zum Löschen ran!«

»Benzin? Zum Löschen? Wäre nicht Wasse...«

»Halt ma schön die Schnauze, Kollege! Von einem, der sein Handy mit inne Gneidelmühle bringt und nich' ma' ausmacht, werd ich mir nich' sagen lassen, wie man einen Hohlgneidelbrand zu löschen hat! AHHH! Lauft um euer Leben! Die Hamster sind frei!«

Texte aus der schlimmen Zeit

Contra Fernreisen

Geschrieben für das 3sat Satire Battle

Reisen bildet ja angeblich. Okay. Aber: Wir haben Leute in diesem Land, die glauben, dass die Erde flach ist, Impfungen die Kinder autistisch machen und dass man Krebs mit Thymian heilen kann ... Was auch immer Reisen bildet, das ist nicht unser dringendstes Bildungsproblem.

Ich finde das gar nicht so klar, was da überhaupt gebildet werden soll. Naheliegend wäre Erdkunde, aber die 5 in Erdkunde durch Reisen ausgleichen zu wollen, ist in etwa so dämlich, als würde man einfach die Ergebnisse aller Rechenaufgaben auswendig lernen, anstatt sich mit Mathematik auseinanderzusetzen.

Natürlich weiß ich, dass mit »Reisen bildet« vor allem Sprachen und fremde Kulturen gemeint sind. Aber das überzeugt mich überhaupt nicht. Die Leute tun immer so, als wären fremde Kulturen komplett anders. Als würde man in den Kongo fahren und feststellen, dass dort die Ohren der Menschen spiegelverkehrt sind und sie die Nasenlöcher auf der Schädeldecke tragen und deshalb bei Regen alle schnell nach Hause laufen müssen, weil sie sonst ertrinken. »Oh mein Gott, in China essen sie ...« – Nahrungsmittel. Komm runter.

Wir sind uns alle grundlegend sehr ähnlich. Außerdem sind wir ohnehin dermaßen globalisiert, dass es überall das Gleiche gibt. Beim japanischen McDonald's schmeckt der Cheeseburger genauso wie in Deutschland – der einzige Unterschied ist, dass ich die Sprache nicht verstehe. Für die Erfahrung muss ich aber nicht nach Japan fliegen, sondern kann einfach zu einem McDonald's in Oberbayern gehen. Da verstehe ich auch nix.

Warum soll also die Kultur anderswo so viel interessanter oder bildender sein? Die Leute besuchen nämlich nicht die Kultur, die sie direkt vor der Haustür haben. Und davon gibt es hier wirklich genug. In Thüringen kannst du keine 5 km weit fahren, ohne irgendeine absurde Burg zu finden oder ein Feld, auf dem Thomas Müntzer den Bauernkrieg verloren hat, oder eine Höhle, in der Barbarossa ... chillt? Ich weiß nicht, was der da macht.

Und das ist genau der Punkt. Ich etwa lebe seit über sechs Jahren in Bochum – und wir haben da nicht viele Sehenswürdigkeiten, aber ich lebe seit über sechs Jahren da und war in der Zeit nicht einmal bei Herbert Grönemeyer zuhause. Wir sollten erst mal die eigene Kultur aufbrauchen, bevor wir eine neue anfangen ... Ich fühl mich, als wäre ich meine Mutter. Egal.

Dann gibt es noch die Leute, die in die unberührte Natur fahren wollen. Das ist in sich schon ein Widerspruch. Wenn man da hinfahren kann, ist die Natur nicht unberührt. Dann gibt es da wenigstens eine Straße. Selbst wenn du acht Tage durch die wildeste Pampa wanderst, wo noch nie ein Mensch gewesen ist, ist diese Natur in dem Moment nicht mehr unberührt, in dem du deinen Jack Wolfskin bestiefelten Fuß in sie reinhältst.

Davon abgesehen hat es auch einen Grund, warum unberührte Natur unberührt ist ... *weil es da scheiße ist!* Die Natur will uns nicht dahaben. Aber das hält die Menschen nicht auf. Die gehen überall hin, kriechen ständig irgendwo rein, krümeln dann alles mit Keksen voll und klettern mit Sauerstoffflaschen auf den Mount Everest. Das muss man sich mal vorstellen! Der Mount Everest will uns so doll nicht da oben haben, dass man seine eigene Luft mitbringen muss, und wir machen das trotzdem!

Man mag da natürlich einwenden, dass das nun eben die menschliche Natur ist. Die Neugier. Der Entdeckergeist. Ja, aber es ist auch die menschliche Natur, Kriege zu führen, Wälder zu roden und die eigenen Kinder zu essen, wenn im Winter das Getreide knapp wird. Und als Konsequenz ist der Mount Everest mittlerweile total zugemüllt mit leeren Sauerstoffflaschen, Fäkalien und Leichen von Leuten, die es nicht gepackt haben. Und das bringt mich zu meinem eigentlich wichtigsten Argument.

Fernreisen sind unbestreitbar eine unglaubliche Umweltbelastung. Ein Flug von Düsseldorf nach Sydney und zurück bläst etwa 10 746 kg CO_2 in die Atmosphäre. Das sind immer so abstrakte Größen, unter denen man sich nicht so richtig was vorstellen kann, deshalb habe ich das mal umgerechnet in etwas, das ein bisschen anschaulicher ist: Ein Flug Düsseldorf–Sydney und zurück stößt genauso viel CO_2 aus, als würde man etwa 165 Omis einäschern. Bei 22 Stunden Flugdauer sind das 7,5 unschuldige Omis pro Stunde. Das ist eine unschuldige, liebenswerte Omi alle 10 Minuten, und nach 59 Minuten muss man schnell noch anderthalb Omis extra verbrennen. Zum Vergleich: Hänsel und Gretel sind in den nahegelegenen Wald gereist und dabei wurde nur eine Omi verbraucht und die war eine Hexe.

Ich denke, dass damit mein Standpunkt eindeutig bewiesen ist, und möchte abschließend sagen, dass ich mir absolut sicher bin, dass ich jetzt auf irgendeiner Beobachtungsliste stehe. Ich habe mittlerweile zu oft gegoogelt: »Wie viel CO_2 erzeugt das Verbrennen von Omis?«

Ich darf also gar nicht mehr fliegen.

In der Notaufnahme

(Eine Ärztin betritt den Behandlungsraum.) »Guten Tag! Tut mir leid, dass Sie so lange warten mussten.«

»Ach, waren doch nur anderthalb Jahre.«

»Okay. Was plagt Sie denn?«

»Also, wenn ich das rechte Bein so anhebe, dann ... äh ... fehlt der Unterschenkel.«

»Aha? Komplett?«

»Ja, komplett.«

»Der Fuß auch?«

»Ja, der auch. Ich hatte mir dummerweise angewöhnt, den am Unterschenkel zu befestigen. Erst jetzt erkenne ich, wie töricht das von mir war.«

»Also Unterschenkel und Fuß komplett weg?«

»Man könnte sagen, Sie haben die Situation komplett erfasst.«

»Ja, ich muss da leider so blöd nachfragen, denn wir haben hier auch Leute, die behaupten, dass ihr Unterschenkel fehlt, aber dann ist der Fuß noch dran.«

»Das stelle ich mir auch schwierig vor, wenn dann das eine Bein so viel kürzer ist als das andere. Da geht man ja immer im Kreis.«

»Medizinisch gesehen gehen wir davon aus: Wenn ein Fuß am Bein ist, dann folgt daraus logisch, dass ein Unterschenkel vorhanden sein muss. Denn es geht ja nicht direkt vom Kniegelenk in den Knöchel über. Die Regel ist, dass zwischen zwei Gelenken ein Knochen sein muss.«

»Das ist ja spannend. Klingt aber eher wie eine Arbeitshypothese.«

»Hm, vielleicht. Aber um die Lügner auszusieben, funktioniert es angemessen gut.«

»Oh, gibt es denn viele Leute, die vorlügen, dass ihnen ein Bein fehlt?«

»Nein, das kommt quasi niemals vor.«

»Interessant.«

»Aber bei Ihnen fehlen wirklich Unterschenkel und Fuß, beide?«

»Genau, Sie können gerne mal nachschauen.«

»An dem Punkt sind wir noch nicht angekommen in der Diagnostik. Ich werde Ihnen dann schon sagen, wenn ich das Bein angucke.«

»Entschuldigung, ich dachte nur, das würde den Prozess vielleicht vereinfachen.«

»Sie kennen ja den Prozess überhaupt nicht, oder haben Sie etwa Medizin studiert?«

»Nein. Ich ...«

»Wenn Ihnen angeblich das rechte Bein fehlt ... wie sind Sie dann hierhergekommen?«

»Wie bitte?«

»Na, wenn einem so richtig das Bein fehlt, dann schafft man das ja auch nicht, zum Arzt zu gehen. Wie sind Sie denn dann hierhergekommen?«

»Es ist mir etwas unangenehm, aber ich bin auf dem Bauch gekrochen. Das hat ungefähr zwei Monate gedauert – von meiner Wohnungstür bis ich dann hier im Wartebereich war.«

»Also zwei Monate plus die anderthalb Jahre, die Sie hier gewartet haben. Wie lange fehlt ihr Bein denn jetzt schon?«

»Mindestens fünf Jahre.«

»Aber haben Sie denn keine Schmerzen?«

»Natürlich habe ich Schmerzen. Richtig doll.«

»Warum sind Sie dann nicht schon längst zum Arzt gegangen?«

»Anfangs dachte ich, das wäre Teil der normalen Schmerzen, die man halt so hat.«

»Normal ist es, *keine* Schmerzen zu haben.«

»Oh ... Das sagt einem ja auch keiner. Alle beschweren sich immer nur über irgendwelche Schmerzen. Da dachte ich, das wäre normal. Ich habe auch manchmal Kopfschmerzen und renne nicht direkt zum Arzt.«

»Ja, gut, aber das ist schon ein Unterschied, ob man ...«

»Ach, wie soll ich den denn feststellen können? Sie haben eben selbst gesagt, dass ich nicht Medizin studiert habe. Außerdem hört man von Medizinerinnen und Medizinern immer beides. Sowohl dass man nicht wegen jedem Scheiß die Notaufnahme verstopfen soll als auch so Geschichten nach dem Motto: *Gut, dass Sie mit Ihren unspezifischen Bauchschmerzen sofort in die Notaufnahme gekommen sind. So konnten wir rechtzeitig feststellen, es ist Ellenbogenkrebs. Wären Sie 20 Minuten später gekommen, wären Sie jetzt schon tot.* Wie soll man denn da eine Entscheidung treffen können, wie man sich verhalten soll?«

»Ein echtes fehlendes Bein ist aber schon offensichtlich.«

»Ach, auf einmal ist es das? Eben durfte ich nicht mal vorschlagen, dass Sie mal nachgucken, ob mein Bein ab ist, und jetzt bin ich qualifiziert genug, zu entscheiden, wann ich zum Arzt gehe? Das ergibt hier doch alles keinen Sinn!

Ich habe damals zuerst meine Freunde gefragt und die haben alle gesagt, dass ich mich nicht so anstellen soll. Schließlich fühlen wir uns alle mal so, als ob uns das Bein abfällt, aber das würde dann halt auch wieder nachwachsen. Einer meinte, er schneide sich regelmäßig die Zehennägel, da fehle ihm dann ja auch ein Stück vom Bein. Das könne also gar nicht so schlimm sein. Ich hab dann angenommen, ich wäre einfach faul oder dumm, weil ich nicht so schnell laufen kann wie die anderen.«

»Und dann haben Sie damit fünf Jahre einfach so gelebt?«

»Ja. Ich bin halt immer gehopst. Das ging schon irgendwie ... Wobei, nach drei Jahren bin ich schon auf die Idee gekommen, dass ein Bein nicht einfach so drei Jahre lang unentschuldigt fehlen sollte. Ich bin also zu meinem Hausarzt gegangen, aber der meinte nur, dass das auch am Stress liegen könnte, dass das Bein ab ist. Ich solle mich mal mehr entspannen oder halt ins Krankenhaus gehen.«

»Und?«

»Ich habe mich dann gegen das Krankenhaus entschieden, weil ich ein bisschen Sorge hatte, dass ich anderen Leuten, die das vielleicht dringender brauchen, ein Krankenhausbett wegnehme. Solchen, denen vielleicht zwei Beine fehlen.«

»Was hat sich denn zuletzt geändert, dass Sie sich doch entschieden haben, ins Krankenhaus zu kommen?«

»Mein anderes Bein ist auch locker. Da dachte ich, bevor das auch noch abfällt, geh ich vielleicht doch mal ins Krankenhaus.«

»Okay, okay. Dann habe ich nur noch eine Frage, bevor ich mir das angucke: Wie haben Sie denn festgestellt, dass Ihr Bein fehlt?«

»Ich weiß das gar nicht mehr. Das war irgendwann einfach weg. Vielleicht haben sich böse Tiere mein Bein geholt, als ich geschlafen habe.«

»Wie meinen?«

»Möglicherweise kam des Nachts ein richtig zwielichtiger Hamster und zog an dem Bein. Doch als er feststellen musste, dass es sich nicht lösen lässt, begann er, zu nagen. Das hat die ganze Nacht gedauert. Und am nächsten Morgen war das Bein weg und der Hamster vermutlich völlig erschöpft.«

»So was passiert eigentlich eher selten. Statistisch gesehen waren das eher die Eltern. Aber ich schau mir das mal an. Ziehen Sie bitte die Hose aus.«

»Okay.«

»Hmmm ... Auf den ersten Blick sieht das auch für mich so aus, als ob da was vom Bein fehlt. Das hört scheinbar direkt unter dem Knie einfach auf.«

»Genau. Wie ich gesagt habe: Unterschenkel und Fuß fehlen komplett.«

»Ja ... Ich würde da aber gerne noch ein paar Tests machen, um ganz sicher zu gehen. Könnten Sie einmal aufstehen und mit dem rechten Fuß richtig aufstampfen? Schön kräftig.«

»Das kann ich nicht. Das Bein fehlt ja.«

»Versuchen Sie es einfach mal. Schön kräftig aufstampfen.«

»So? ...« *(Nichts geschieht.)*

»Ja, genau. Hmmm ... Also wenn Unterschenkel und Fuß noch dran wären, dann hätte das jetzt ein Geräusch machen müssen.«

»Was Sie nicht sagen.«

»Gut, das kann aber auch an der Akustik hier drin liegen. Oder Ihre Schuhe haben sehr weiche Sohlen.«

»Oh, ich trage keinen Schuh an dem Bein, das fehlt.«

»So so. Einen Test würde ich gerne noch machen. Stellen Sie sich einmal mittig in den Raum, bitte.«

»Hier?«

»Genau.« *(Die Ärztin tritt dem Patienten mit aller Gewalt das linke Bein unter dem Körper weg. Der Patient stürzt und schlägt schmerzhaft auf dem Boden auf.)*

»Aua! War das nötig?«

»Interessant, wenn das rechte Bein noch dran wäre, dann hätten Sie ja stattdessen auf dem stehen können. Der Umstand, dass Sie gefallen sind, ist schon sehr eindeutig.«

»Ach, wirklich?«

»Gut. Was erwarten Sie denn, was jetzt passiert?«

»Wie? Was erwarte ich? Vielleicht, dass Sie mir helfen? Sie sind doch Ärztin.«

»Ehrlich gesagt weiß ich auch nicht, was man da machen kann. Haben Sie mal gegoogelt?«

»Ich ... Was passiert hier? Ich weiß nicht ... Ich dachte, wenn ich mich von einer Ärztin untersuchen lasse, würde sie schon wissen, was zu tun ist.«

»Mhm. Ich würde sagen, wir lassen das einfach so.«

»Nein, bitte. Ich kann nicht laufen. Kann man da gar nichts machen?«

»Na gut. Ich mach Ihnen mal einen Diagnosebrief fertig und verschreibe Ihnen Loperamid-Lysergsäurediethyl-amidmarzipan.«

»Wächst davon mein Bein wieder nach?«

»Nein, aber Sie verlieren dadurch die Fähigkeit, sich um ihr fehlendes Bein zu sorgen.«

»Okay ...«

»Ach und entschuldigen Sie bitte, dass ich Sie so getriezt habe. Das gehört leider zum diagnostischen Prozess dazu.«

»Aha.«

(Die Ärztin verlässt den Behandlungsraum. Der Patient zieht seine Hose wieder an. Das Bein des Patienten fehlt weiterhin.)

Beschwerdeschrift über E-Scooter, aber eigentlich Deutsche

Kann mir mal bitte jemand schlüssig erklären, was es mit diesen E-Scootern auf sich hat? Es stört mich gar nicht mal, dass die überall im Weg rumstehen. Da gehe ich einfach drumherum. Das kostet mich keine Sekunde meines Lebens.

Okay, mir ist natürlich bewusst, dass diese Einstellung extrem undeutsch ist. Es ist richtig undeutsch, um Dinge, die im Weg stehen, einfach herumzugehen und sein Leben weiterzuleben. Die Deutschen hassen nichts mehr als Dinge, die im Weg stehen.

Und damit meine ich: Sie lieben nichts mehr. Denn so eine Situation eröffnet ihnen die gesamte Regenbogenfarbpalette des passiv-aggressiven Verhaltens, plus drei zusätzliche Farben, die nur ordentliche Deutsche sehen können, namens Tarn-Ocker, Falschparker-aufschreiben-Grün und Ich-hab's-Ihnen-1000-Mal-gesagt!-Lavendel.

Hier die Top vier der liebsten passiv-aggressiven Verhaltensweisen, wenn etwas im Weg rumsteht:

Platz vier – Mülltonnen auf dem Gehsteig

Am besten einen Tag, nachdem der Müll abgeholt wurde. Deutsche lieben das, weil es ihnen die Möglichkeit gibt, die Tonnen selbst wegzuräumen – natürlich ohne darum gebeten worden zu sein – und dabei so viel Lärm zu machen, dass die eigentlichen Besitzer*innen ihr Verbrechen auch garantiert mitbekommen müssen, damit sie sich dann schön schämen können. Oh jaaa! Schön schämen!

Platz drei – Schuhe im Treppenhaus

Sie sind deswegen so beliebt, weil die Deutschen dann einen Zettel ins Treppenhaus hängen können. Dabei fühlen sie sich, als würden sie ein Schild aufstellen, und die Deutschen lieben nur eins mehr, als ein Schild aufzustellen: ein Verbotsschild aufzustellen.

Die Kommunikationsmethode der Zettel im Treppenhaus eignet sich besonders für Hinweise wie: »Räumen Sie endlich Ihre Schuhe weg! Da bricht man sich ja den Hals!«

Lassen Sie sich in so einem Fall gerne zum Konter hinreißen, denn natürlich hat sich der Schuhe wegen noch nie jemand tatsächlich den Hals oder etwas anderes gebrochen. Die Deutschen sind ein Volk der Dichter*innen und Denker*innen, deswegen genügt ihnen als Anlass zur Beschwerde auch die reine Denkbarkeit eines erdichteten Szenarios. Niemand sonst erfindet den Konjunktiv II, um ihn dann so gekonnt nicht zu verstehen.

Kontern Sie also, indem Sie Ihre zwei Paar Schuhe durch 38 Paar Handschuhe ersetzen, oder bauen Sie aus Ihren Schuhen einen Roboter, der allen ein Bein stellt, die ihm zu nahekommen, oder hängen Sie Ihrerseits einen Zettel ins Treppenhaus mit der Aufschrift: »Das Anbringen von Aushängen im Treppenhaus ohne Genehmigung ist verboten!« Erwarten Sie daraufhin aber keine Einsicht. Erwarten Sie Krieg. Doch keine Sorge. Sie sind im Vorteil. Sie haben einen Roboter, der Leuten ein Bein stellt.

Platz zwei – Autos, die auf dem Parkplatz von jemand anderem stehen

Ohohohoho! Mjam, mjam, mjam! Jetzt können die Deutschen zu einer höheren Autorität laufen, petzen und den Wagen abschleppen lassen. Köstlich! Sollten Sie dabei sein, während Ihr Wagen abgeschleppt wird, machen Sie sich darauf gefasst, dass die Deutschen zu Ihnen auf die Straße treten und geistlose Dinge von sich geben wie: »Sowas kommt von sowas.«

Widerstehen Sie dem Drang, zuzuschlagen. Nutzen Sie die Gelegenheit lieber, um zu verstehen, was es bedeutet, dass das Wort *Schadenfreude* nur in der deutschen Sprache existiert. Und dann bringen Sie Ihrem Roboter ein paar neue Tricks bei.

Platz eins – das Blockieren der Laufwege

Mit Abstand am liebsten haben es die Deutschen, wenn eine andere Person im Weg steht. Freude, schöner Götterfunken!

Normale Menschen würden selbstverständlich drumherum gehen oder etwas sagen wie: »Entschuldigung, dürfte ich einmal vorbei, bitte?«

Nicht so die Deutschen. Sie verlieren kein Wort. Sie warten. Sie warten so lange, bis man sie bemerkt. Tut man das nicht, katapultiert man sie damit augenblicklich in die höchste aller Verzückungen, denn dann können sie jede einzelne Sekunde ihres Nichtbemerktwerdens nutzen, um

Wut und Frustration bis ins Unermessliche zu steigern. Schließlich bricht es aus ihnen heraus: »Man kann doch auch mal Platz machen!« Oft ist dieser Ausbruch die erste Gelegenheit, überhaupt Notiz von ihnen zu nehmen. Frauen mit Kinderwagen sind hier besonders hervorzuheben: Sie scheinen tatsächlich davon auszugehen, dass sie eine Aura der Wahrnehmung ausstrahlen, die man schon aus 5 Metern Entfernung mit dem Hinterkopf zu erspüren hat.

Hatten die Deutschen ihren Ausbruch, so gehen sie nicht weiter ihres ursprünglichen Weges, nein, sondern schnurstracks in das nächste Schildprägefachgeschäft, lassen ein Schild anfertigen, auf dem steht: »Verboten!«, stellen es am Ort des Geschehens auf, hängen dann einen Zettel darunter mit der Aufschrift: »Das wird man ja wohl noch sagen dürfen!« und rufen schließlich die Polizei.

Oder anders ausgedrückt: Anstatt sich also selbst zu helfen oder schlicht und einfach ihre Bedürfnisse und Wünsche zu artikulieren – sprich: normales, vernünftiges Verhalten an den Tag zu legen –, verstecken sich die Deutsche im toten Winkel und nehmen sich dort die Zeit, um sich selbst davon zu überzeugen, dass man sie nicht nur bemerken muss, sondern sie sogar eine Art Recht darauf haben, bemerkt zu werden, das ihnen hier mutwillig verwehrt wird, weshalb es der Situation völlig angemessen ist, wütend zu werden. Als allgemeine Strategie zur Lebensbewältigung wälzt sich dieses Verhalten fröhlich schnaufend im Schweinestall der Idiotie, nur um sich hinterher über den Gestank zu beschweren.

Oder nochmal anders ausgedrückt: Die Deutschen würden Paul Watzlawick nicht lesen, aber sie würden sich darüber aufregen, dass sie ihn nicht kennen.

All das liegt mir fern. Also nein, es stört mich nicht, dass die E-Scooter überall im Weg rumstehen. Teilweise regt ihr Aufenthaltsort sogar die Fantasie an. Letztens habe ich einen gesehen, der unmittelbar vor einem DIXI-Klo geparkt war. Das muss dringend gewesen sein. Ein anderes Mal stand einer auf einem Stromverteilerkasten. Da hat anscheinend jemand während der Fahrt einen Salto gemacht, ist auf dem Verteilerkasten gelandet und hat dann gedacht: »Das lass ich so. Als Denkmal meiner Unglaublichkeit.«

Außerdem hab ich noch nie gesehen, wie bei einem der Dinger der Akku gewechselt wird. Das ist angenehm mysteriös. Vielleicht brauchen sie keinen Akku. Vielleicht absorbieren sie Strom aus tief in der Erde verborgenen Elektrofeldern oder sie filtern freie, esoterische Energie aus dem Kosmos oder des Nachts kommen 30 nackte Gnome, die bis zum Morgengrauen Luftballons an den E-Scootern reiben. Das würde natürlich voraussetzen, dass sie mit statischer Elektrizität funktionieren.

Der Punkt ist, niemand weiß, was wirklich passiert. All diese Möglichkeiten sind gleich wahrscheinlich und das finde ich aufregend und wundervoll.

Was mich also an den E-Scootern stört, ist: Warum fahren auch erwachsene Menschen mit den Dingern durch die Gegend? Warum sieht man allgemein immer mehr Erwachsene nicht nur auf E-Scootern, sondern auch auf City-Rollern herumbrausen? Das wirkt, als wollten sie damit sagen: »Nein, von mir ist in nächster Zeit keine Steuererklärung zu erwarten.«

Will denn hier niemand mehr erwachsen sein? Als Erwachsene*r geht man entweder zu Fuß oder man fährt mit dem Auto und schämt sich, weil der Supermarkt auf der anderen Straßenseite ist. Aber natürlich fährt man trotzdem mit dem Auto. Schließlich hat man wenig Zeit, aber wichtige, dringende Geschäfte zu erledigen. Eine Beerdigung zum Beispiel. Man fährt nicht mit dem E-Scooter zur Beerdigung. Das sieht nicht aus. Schließlich ist es die Beerdigung eines Freundes, der umkam auf einem E-Scooter, als er diesen grade parken wollte – mitten auf einer Kreuzung. Und wie jener Freund so dalag, ganz überfahren, trat ein Deutscher zu ihm und sprach: »Sowas kommt von sowas.«

Nein, das geht nicht. Es bleibt einem gar nichts anderes übrig, als schamvoll Auto zu fahren.

Als Erwachsene*r schämt man sich ohnehin viel. Als Erwachsene*r denkt man oft: »Ohohoho ... ich sollte das nicht tun.«

Und dann macht man es trotzdem. Und dann schämt man sich und wird fett oder arm oder stirbt. Aber man kennt wenigstens die Konsequenzen des eigenen Handelns. Daher kommt die Scham.

Deswegen haben Kinder das nicht. Sie sind noch völlig frei von Scham, weil sie die Konsequenzen nicht absehen können. Sie bohren komplett ungerührt in der Nase, nachdem sie sich eine Schildkröte erst in die Hose gesteckt und dann angeleckt haben. In der U-Bahn! Während sie eine Obdachlose fragen, warum sie so stinkt. Für sie ist das alles möglich. Für uns Erwachsene nicht.

Und genau daran merke ich, dass auch ich mittlerweile zu den Erwachsenen zähle. Auch ich schäme mich. Beispielsweise werden diese ekelerregenden Menschen immer mehr und mehr, die endlich wieder voller Stolz Deutsche sein wollen. Interessanterweise sind genau die der Grund, warum ich mich oft schäme, Deutscher zu sein.

Das wird ganz schön peinlich für uns nach dem dritten Weltkrieg. Die ganze Welt wird auf uns schauen und sagen: »Deutschland ... Schon wieder? Ernsthaft?«

Und wir so: »Huppsi! Aller guten Reiche sind vier.«

»Ach, Deutschland, was soll ich nur mit dir machen?«
Dann lacht das Studiopublikum, Freezeframe, und der Vorhang fällt über der beschissensten SitCom aller Zeiten.

Was ich also sagen möchte, ist dies: Fahrt keine E-Scooter, sonst passiert der dritte Weltkrieg.

Oder: Zu oft sind es jene, die sich am meisten für ihre Gesinnung schämen müssten, die am stolzesten auf sie sind, und jene, die stolz sein könnten, die sich am meisten schämen.

Eins von beidem werde ich wohl sagen wollen, aber was macht Paul Watzlawick in meinem Arbeitszimmer? Und riecht das hier nach (poetischer) Ironie?

Introvertierte Menschen in Aufzügen

Streng genommen passt der Titel nicht zum Text. Ich finde nur die Vorstellung so lustig, wie eine Gruppe introvertierter Menschen in einem Aufzug steht – alle mit dem Gesicht zur Wand.

Es klingelt an meiner Tür. Sofort werde ich wach und werfe einen kritischen Blick auf die Mikrowelle am Fußende meines Bettes. 08:13 Uhr morgens?! Wer wagt es, mich mitten in der Nacht zu stören? Wutentbrannt rolle ich aus dem Bett, ziehe mir im Gehen die schickste Kleidung an, die ich finden kann, und öffne dann vorsichtig die Tür.

Draußen steht ein Mann Anfang 30 mit schulterlangen, braunen Haaren in Jeans und Nirvana-Band-Shirt. Auf einmal komme ich mir sehr overdressed vor in meinem Anzug. Bevor ich irgendwas sagen kann, legt der Mann los: »Guten Tag, mein Name ist Tablettenuwe und ich hab bei Ihnen geklingelt, weil ich Sie mal ganz unverbindlich kennenlernen wollte.«

»Aha!«, denke ich, »ein extrovertierter Mensch«, und erwidere eloquent: »Ähhh …«

Ich mustere Tablettenmartin von oben bis unten. Er lächelt breit und hält Augenkontakt. Er ist mir direkt unsympathisch. Dann fragt er plötzlich: »Darf ich vielleicht reinkommen? Sehr schön, danke!«

»Ähm!«, stammle ich alarmiert, während er sich an mir vorbeidrängt.

Mein Magen fällt drei Stockwerke tief unter mich, Adrenalin schießt in meine Füße, Fragen randalieren in meinem Schädel. Hab ich die Toilette geputzt? Wenn ich meinen Computer anmache, ist dann auf dem Bildschirm Pornografie zu sehen? Liegt schmutzige Wäsche im Backofen? Ich habe sie nur da hingelegt, um das Feuer zu löschen! Das kann jedem mal passieren, dass man vergisst, diesen komischen Pappkreis unter der Tiefkühlpizza zu entfernen. Und dass man vergisst, die Tiefkühlpizza aus dem Ofen zu holen. Und dass man vergisst, dass direkt neben dem Ofen ein Hahn voll Wasser ist. Hab ich eigentlich den Müll runtergebracht? Hoffentlich stinkt der nicht schon.

»Ahaha! Ist das Ihre Altersvorsorge?«, lacht es aus der Küche.

Das Flaschenpfand! Wie konnte ich das nur vergessen?

»iSt dAs iHrE aLtErSvOrSoRgE?«, murmle ich und werfe die Tür ins Schloss.

»Was haben Sie gesagt?«

»Nichts.«

Wir treffen uns im Wohnzimmer. An jedem seiner Finger steckt eine 0,5er Glasflasche, die er arhythmisch gegeneinander klirren lässt. Das Geräusch sorgt dafür, dass in meinem Gehirn ein dickflüssiger Nebel aufzieht.

»Sollen wir die mal eben zum Supermarkt bringen? Das sind bestimmt 30–40 €. Davon können wir dann Pizza bestellen und die Kartons fügen wir nachher deiner Sammlung hinzu.«

Der ungebetene Gast deutet auf eine Struktur aus Pappe, Käse und Teigresten, die ich ihrer Form und meiner Intention entsprechend das »Taj Mahal« nenne.

Sollen wir die mal eben zum Supermarkt bringen? Ein Leuchtturmlichtstrahl reißt sich durch den Nebel. 40 € bei 0,08 € pro Flasche, das ergibt ... keine sozial-akzeptable Menge. Ich sehe eine Schlange. Sie ist sehr lang. Gehässige Kommentare und unlustige Witze – gerade laut genug, dass ich sie hören kann – tropfen wie Gift von einem Fangzahn in mein Ohr. Ich werde tagelang krank sein, um das Gift aus meinem Körper wieder auszuscheiden. Menschen vergreisen in der Schlange. Kinder werden geboren und vergreisen ebenfalls in der Schlange. Sie kennen nur die Schlange und den Hass. Die Schlange ist unser Leben und ich bin ihr giftgefüllter Kopf, der unablässig Pfand in den Automaten spuckt.

Ich schaue durch Tablettenolaf hindurch. Erst seine Stimme holt mich zurück.

»Wir können entweder das Pfand wegbringen oder wir duzen uns«, sagt er.

Was ist das hier? Manipulative Kindererziehung? Möchtest du erst die Zähne putzen und dann den Schlafanzug anziehen oder erst den Schlafanzug anziehen und dann die Zähne putzen? Das sind doch nicht die einzigen Optionen, Mama. Es gibt da noch die Anarchie! *Wir können entweder das Pfand wegbringen oder wir duzen uns.* Pah. Was für eine soziale Erpressung. Da mache ich nicht mit!

»Ich bin Jan Philipp, und du?«, sage ich.

»Tablettenuwe«, antwortet Tablettenmanfred und dann werde ich händegeschüttelt. Noch lange, nachdem sich unsere Hände getrennt haben, kann ich seine Berührung spüren.

Ja, ich bin vielleicht etwas sensibel. Man könnte unter Umständen sogar behaupten: Auf dem Schachbrett des Lebens bin ich der Bionicle. Ich bin absolut insane ausgerüstet, aber leider für das komplett falsche Szenario. Das ist genau der Grund, warum ich für gewöhnlich keine spontanen Gesellschaften unterhalte. Ich muss aus dem Anzug raus, sonst werde ich bekloppt.

»So, wenn wir jetzt schon Freunde sind, dann schlüpfe ich rasch in was Bequemeres«, erkläre ich sarkastisch.

»Ach, wir sind Freunde?«, ruft der Gast begeistert. »Das ist schön, dann bist du mein 2 087. Freund! Ich werde sie in alphabetischer Reihenfolge aufzählen: Aaron Aachenachen, Betina Bettenknusper, …«

Während er lautstark die Liste seiner Freund*innen preisgibt, verschwinde ich ins Schlafzimmer, ziehe mir meinen Bademantel an und denke darüber nach, dass 2 087 eine Primzahl ist. Das beruhigt mich etwas.

Als ich die Tür zum Wohnzimmer einen Spalt breit öffne, höre ich: »Conny Clownmemme, Claudius Caleisdoskop, aber mit C geschrieben!«

Verdammt, der ist erst bei C! Ich schließe die Tür wieder. Wie lange muss ich mich wohl in meinem eigenen Schlafzimmer verstecken, bis er die Botschaft versteht und geht?

Etwa zwei Stunden später klopft Tablettengünther fordernd an meiner Schlafzimmertüre. Er kaut auf einer sauren Gurke herum, die ich mir für einen besonderen Anlass aufgespart hatte.

»Ich bin fertig mit Aufzählen. Was hast du als Nächstes geplant?«, schmatzt er.

»Geplant …? Ist das da meine saure Gurke?«

»Ja, warum?«

»Kannst du bitte nicht meine Sachen anfassen?!«

»Wieso? Ist doch nur 'ne saure Gurke.«

»Meine Wohnung ist ein empfindliches Ökosystem. Hier hat alles seinen Platz und erfüllt dort einen bestimmten Zweck.«

»Jan Philipp, die saure Gurke lag im Bücherregal!«

»Ja, genau, und als ich sie da hingelegt habe, war sie noch nicht sauer.«

»Was? Warum?« Er beißt herzhaft in die Gurke.

»Also, das ist so. Die Gurke liegt im Regal, weil ich oft schlecht schlafe. Und wenn ich schlecht geschlafen habe und dann morgens nicht aus dem Bett komme, weil ich mich komplett zerstört fühle, dann denke ich: ›Scheiße, im Bücherregal liegt ja immer noch die Gurke. Die muss ich dringend wegräumen!‹ Meistens schaffe ich es dann aus dem Bett.«

»Und dann räumst du sie weg?«

»Natürlich nicht! Dann würde ich ja am nächsten Morgen nicht aus dem Bett kommen. Dieses Exemplar hilft mir jetzt schon seit drei Monaten.«

»Aha«, meint Tablettenburkhard und beißt nochmal herzhaft in die Gurke. »Jan Philipp, das ergibt alles gar keinen Sinn. Kann ich mal deine Toilette benutzen?«

»Na gut, aber nimm die hier«, sage ich und reiche ihm eine Handvoll Karamellbonbons aus meiner Bademanteltasche.

»Was soll ich denn damit?«

»Du musst doch aufs Klo.«

»Ja und?«

»Alles hat seinen Platz und erfüllt dort seinen Zweck«, wiederhole ich kryptisch und gestikuliere ungelenk, um das mystische Gefühl zu unterstützen. Auf der Wand hinter Tablettenotmar erscheint durch mein Gestikulieren ein Schattenschwan, der ein Paket Socken mit Yen bezahlt.

»Eigentlich ist mein Gast eher ein Einbrecher als ein Gast«, denke ich, während ich die Gelegenheit nutze, um meine Wäsche in den Keller zu bringen. Das habe ich schon 'ne Weile nicht mehr gemacht. Wenn ich das jetzt nicht tue, ist für morgen geplant, anstatt Kleidung zu tragen, meine Genitalien mit einem Streifen Panzerband abzukleben.

Noch eigentlicher kann ich extrovertierte Menschen nicht leiden. Meistens begegnen sie mir morgens beim Frühstück in Hotels. Lange habe ich geglaubt, es gäbe besonders bei erzwungenen Gruppenaktivitäten wie einem Hotelfrühstück diesen stillschweigenden, selbstverständlichen Kompromiss zwischen introvertierten und extrovertierten Menschen. Wir Intros verzichten auf die gewaltsame Durchsetzung eines absoluten Schweigegelübdes und gestatten leise Gespräche, dafür verzichten Extros im Gegenzug auf das Absingen von Fahrtenliedern, das Zünden von Feuerwerk und darauf, immer wieder in die Hände zu klatschen und laut »Ei! Hossassa!« zu rufen, wie es ja ihre Art ist.

Die Realität präsentiert sich grausam anders. Es gibt keinen Kompromiss. Das Frühstück ist nur eine weitere Gelegenheit, um zu laut zu sein. Aber in der Gegenwart von Toast und Rührei. Manchmal wirkt es so, als ob Extrovertierte sich nur dann, wenn sie ein Geräusch machen, das von anderen Menschen wahrgenommen wird, wirklich sicher sein können, dass sie existieren. Vielleicht versuchen sie auch, mit den Geräuschen die Stimme in ihrem Kopf zu übertönen. Vielleicht wissen sie nicht, dass die Stimme im Kopf ihre eigene ist, und fürchten sich darum vor ihr.

»Danke, Jan Philipp, jetzt kann ich endlich sterben«, sagt eine Unterhose, die ich in die Waschmaschine lege.

»Geh mit Gott«, erwidere ich und schließe das Bullauge.

Als ich in meine Wohnung zurückkomme, sitzt Tablettenfrederick auf der Couch und blutet auf den Teppich. Seine Unterschenkel fehlen komplett.

»Auf deiner Toilette lebt ein Dachs!«

»Daher die Karamellbonbons«, antworte ich.

»Was?!«

»Sie verkleben Inges Maul und dann kann man in Ruhe kacken.«

Das Rot in seinem Gesicht ist nun das gleiche wie auf dem Teppich.

»Jan Philipp, ganz ehrlich, was soll das? Ich komm hier zu Besuch und es herrscht das totale Chaos, es liegt Wäsche im Backofen, im Bad werde ich von einem Dachs angefallen und auf deinem Computer verprügeln Frauen in Bikinis eine Telefonzelle ... Ich weiß nicht mal, ob das Pornografie sein soll. Von dir kommt jedenfalls nix. Keine Kooperation. Ich will dir doch nur helfen! Ich bin doch dein Freund!«

Das war zu viel.

»Pass mal auf, Tablettenotto.«

»Der Name ist Tablettenuwe!«

»Genau. Weil das viel mehr Sinn ergibt. Seit du hier angekommen bist – und darüber könnten wir uns streng genommen auch mal unterhalten, warum du überhaupt hier bist, verdammt, aber eins nach dem anderen –, seit du hier bist, ist alles, was ich von dir höre, entweder ein Witz auf meine Kosten, setzt mich unter Druck oder ist eine Grenzüberschreitung. Was soll das? Dafür, dass du so viele Freunde hast, kannst du erstaunlich schlecht mit Menschen umgehen, die nicht so sind wie du. Und was soll eigentlich dieses Rumgemäkel an meiner Wohnung und daran, wie ich lebe? Das beeinträchtigt doch niemanden. Das muss nur für mich funktionieren. Du wiederum kommst hier rein, findest dich nicht zurecht – was gar nicht zu erwarten ist, schließlich ist das meine Wohnung – und dann soll alles deinen Vorstellungen angepasst werden. Nein! Ich habe dich nicht eingeladen. Ich habe nicht um Hilfe gebeten. Ich bin, wie ich bin, und ich werde mich dafür nicht entschuldigen. Das habe ich früher viel gemacht und das war extrem anstrengend und hat dazu geführt, dass mein Selbstwertgefühl komplett im Arsch ist. Das habe ich satt. Also wie wäre es, wenn sich nur mal zur Abwechslung der Extrovertierte dem Introvertierten anpassen würde?!«

»Hä?«

»Ja, ich weiß, das waren zu viele Informationen auf einmal. Die Kurzfassung: In meiner Wohnung hat alles seinen Platz und erfüllt dort einen bestimmten Zweck. NUR DU NICHT!«

»Was ist mit dem Dachs auf der Toilette?«, ruft er triumphierend, als hätte er den Schwachpunkt meiner Logik enthüllt und sich damit das Recht, zu bleiben, verdient. Tatsächlich beweist er nur nochmal, dass er Grenzen nicht versteht.

»Inge habe ich eingeführt, weil ich mich davor fürchte, dass sich irgendwann der Postbote oder ein Pizzalieferant mir so freundschaftlich verbunden fühlen, dass sie fragen, ob sie mal meine Toilette benutzen können. Und wenn die dann nicht geputzt sein sollte, müsste ich nicht megapeinlich sagen: ›Nein, die ist nicht geputzt‹, sondern kann ganz cool erwidern: ›Nee, sorry, auf der Toilette lebt ein Dachs.‹ Außerdem frisst sie die Silberfische. Das ist ein Bonus, mit dem ich gar nicht gerechnet hatte.«

»Aber Jan Philipp ... Jan Philipp, hör mir zu. Ist deine Toilette jemals ungeputzt?«

»Nein, ich putze sie regelmäßig, falls überraschend Dachsfreunde klingeln.«

»Das ist alles komplett insane, Jan Philipp. Das weißt du, oder?«

»Raus.«

»Wie meinen ...?«

»RAUS!«

Langsam und mit einem zufriedenen Grinsen beginnt Tablettenfjodor, in die Hände zu klatschen.

»Sehr gut, Jan Philipp. Endlich hast du es geschafft, zu sagen, was du willst. Meine Aufgabe hier ist er...«

Ich schneide ihm das Wort ab, indem ich seine patschenden Hände greife und ihm in den Mund stopfe: »Wie viel bleihaltige Farbe hast du eigentlich gefressen, du Tablettenhampelmann? Du wirst diese Scheißaktion nicht nachträglich als Lektion hinstellen. So funktioniert Hilfe nämlich nicht. Echte Hilfe fragt nach Erlaubnis. Echte Hilfe fragt, was gebraucht wird. Echte Hilfe fragt, wie man helfen kann. Was du machst, ist keine Hilfe. Du benutzt mich, damit du das Gefühl bekommst, dass du jemandem geholfen hast. Was du machst, ist übergriffig!«

»Wie kannst du es wagen, mir sowas zu unterstellen?! Ich hab nur die besten Absichten!«

Mit einem Ruck stemme ich Tablettenuwe über meinen Kopf und werfe ihn kommentarlos in den Gartenhäcksler neben der Couch. Aha. Dafür steht der also da. Ehrlicherweise hatte selbst ich mich gefragt, was ein Gartenhäcksler im Wohnzimmer soll.

Wenig später lege ich mich endlich wieder ins Bett und strecke die Füße in die Mikrowelle. Wenn man es schafft, die Füße irgendwo zwischen 2,3 und 2,5 Sekunden lang in der eingeschalteten Mikrowelle zu lassen, werden sie schön warm, ohne dass man bleibende Schäden davonträgt.

In etwa drei Stunden muss ich aufstehen und zu einem Auftritt, aber das werde ich problemlos schaffen, auch wenn ich mich so kaputt fühle wie schon lange nicht mehr. Meine soziale Batterie ist nicht nur leer, sie hat mehr Strom produziert, als sie fassen kann. Trotzdem werde ich rechtzeitig da sein, denn im Schrank liegt die Gurke.

Wien im Herbst ist wie ein alter Mann, der ebenfalls im Herbst ist ...

Ein eklektischer Spaziergang durch eine Hauptstadt

Das Erste, was ich sehe, als ich den Wiener Hauptbahnhof verlasse, ist ein Mann, der sich auf offener Straße in die Hand scheißt. Später wird er sich als der Bürgermeister von Wien herausstellen.

Nachdem er sein Geschäft vollendet hat, kommt er mit ausgestreckter Hand auf mich zu und sagt: »Wollen Sie mir die Hand schütteln?«

Kurz wäge ich meine Optionen ab. Wenn ich nicht einschlage und es sich hierbei aber um eine traditionelle Begrüßungsformel handelt – vielleicht den sogenannten Wiener Gruß? –, laufe ich natürlich Gefahr, als unhöflich wahrgenommen zu werden. Dann wird mir glücklicherweise die Entscheidung durch den Mann selbst abgenommen.

»Wollen Sie mir die Hand schütteln? Ich bin der Bürgermeister von Wien«, behauptet er, wie ich bereits angekündigt hatte. Da ich kein Freund der Politik und ihrer Ränkespiele bin, lehne ich sein Angebot ab. Ich beschließe, Wien zu erkunden, indem ich auf meinem Hotelzimmer bleibe.

Wien ist eine vielschichtige Weltstadt mit einem reichen kulturellen Erbe ... Zum Glück spielt das in meinem Ibis-Hotelzimmer keine Rolle. Freudig beiße ich in mein Subway-Sandwich. Ahhh, Globalisierung.

Am Abend reizt es mich dann doch, herauszufinden, was diese Stadt ausmacht. Was ist der Vibe? Wie ist Wien? Ich tauche in das Nachtleben ein und sofort fällt auf: Die Ampelschaltung in Wien ist sehr gut. Man kann problemlos in einer Grünphase über eine sechsspurige Straße kommen. In Deutschland wäre das nicht möglich. Dort enden die Grünphasen stets so früh, dass man auf einer Verkehrsinsel zwischen den beiden Fahrbahnen auf die nächste warten muss. Dafür kommt man währenddessen in den Genuss, zu beobachten, wie einige Omas, die es nicht rechtzeitig geschafft haben, dem Verkehr zum Opfer fallen. Nicht so in Wien. Hier hat man noch Zeit.

An der nächsten Ampel falle ich sofort als Deutscher auf, da ich als einziger nachts bei Rot stehen bleibe. Sofort werde ich von einer Gruppe Tourist*innen umringt, die mich fragen: »Sind Sie auch Deutscher?«

Erst jetzt sehe ich, dass sie die Kreuzung mit einigen Handtüchern reserviert haben. Ihre Münder sind mit Schoki verschmiert von den Sachertorten, die sie mit bloßen Händen fressen. Ich verscheuche sie so, wie man seit jeher alle Deutschen verscheucht.

»Machen Sie Urlaub?«

»Ja, wir machen Urlaub.«

»Das ist ja schön, dass Sie Urlaub machen können. Manche von uns können sich das nicht erlauben, durch die Weltgeschichte zu tingeln und sich einen lauen Lenz zu machen. Einige von uns müssen für ihr Geld noch arbeiten. Also ich lege jeden Pfennig, den ich erübrigen kann, fürs Alter zurück. Das könnte ich nicht übers Herz bringen, dass ich dann jemandem zur Last falle.«

Auf einmal scheinen ihnen ihre Torten nicht mehr zu schmecken. Den Rest ihres Rückzugs besorgen mangelhafte Ausrüstung und ein harter Winter. Aber noch ist es nicht so weit. Noch ist Herbst und Wien im Herbst und Herbst in Wien. Wien, das ist wie ein alter Mann mit Hut, der Tauben im Park vergiftet.

Das Nächste, was einem nach der angenehmen Ampelschaltung auffällt, sind natürlich die Gebäude. Architektonisch wird hier viel geboten. In Wien sehen alle Gebäude so aus, als wären sie von Rassisten gebaut worden, aber so ganz feinen Rassisten, mit Zylindern. Die Dinge sagen wie: »Eine wahre Pracht! Das wird das Herz des Kaisers frohlocken lassen. Rasch! Telegraphieren Sie an die Preußische Porzellan-Manufaktur.«

Man kann sich dem Prunk und der Pracht nicht entziehen. Das Schloss Belvedere, die Hofreitschule, die Karlskirche, die Hofburg. Als deutsche Kartoffel wird man fast ein bisschen wehmütig, wenn man das sieht, denn ... so könnte es bei uns auch aussehen, wenn wir nicht im letzten Jahrhundert die gesamte Welt überfallen hätten. Es bleibt einem nur, voller Scham durch Wien zu laufen, mit gesenktem Haupt, und nach Wurst zu riechen.

Die Pracht hat aber auch eine brutale Ironie. Diese reichverzierten historistischen Gebäude und dann ist im Erdgeschoss ein McDonald's. Als würde die Queen dir auf die Schuhe kotzen.

Wien hat eine lebendige Kunst- und Kulturszene, aber es könnte genauso gut keine haben. Die wichtige Kunst und Kultur ist hier bereits passiert. Sie hat ihr Skelett zurückgelassen und darin sitzt Ronald McDonald. Zwischendurch sieht man auch immer wieder Supermärkte. Rewe heißt in Österreich Billa und sieht aus wie Aldi. Aldi heißt hier Spar und sieht aber aus wie Rewe. Wenn man diesen Text in Wien vorliest, dann rufen die Menschen im Publikum laut: »Hofer!«, was auch ein österreichischer Supermarkt ist. Leider weigern sich die Menschen dann, zu erklären, was sie damit meinen oder wie Hofer in mein Satzkonstrukt hineinpasst. Vielleicht wollen sie einfach nur beweisen, dass sie das Thema verstanden haben.

Auf dem Stephansplatz steht der Stephansdom. Welch angenehmer Zufall. Hätte der Stephansplatz stattdessen Günthersplatz geheißen, man hätte den Dom umbenennen müssen. Vielleicht hätte man sogar einen neuen Heiligen erfinden müssen. Sankt Günther. Schutzpatron der Ottos.

Der Stephansdom ist eine gigantische gotische Kirche – ein Nationalheiligtum Österreichs. Der Stephansplatz hingegen riecht wie das Affenhaus des Osnabrücker Zoos. Mir wurde gesagt, das läge daran, dass in der Nähe die Pferde untergebracht sind, die tagsüber Kutschen durch Wien ziehen. Ich glaube, dass auf dem Stephansplatz einfach ganz schlechtes Gras verkauft wird.

In Wien gibt es noch Telefonzellen. Sie werden aber nicht mehr zum Telefonieren genutzt. Stattdessen verkauft man aus ihnen heraus Würstchen, die mit Käse gefüllt wurden – geniale Idee. Man nennt sie Kreiner. Das ist Slowakisch und bedeutet: »Der, der sich in die Hand scheißt.«

Wien ist wie ein alter, sehr reicher Mann, der ironisch Taxi fährt ... und sich über mich lustig macht, wenn ich einsteige.

Schließlich fallen mir auf meinem nächtlichen Spaziergang auch die Menschen auf. Zuerst die Jugendlichen. Sie sind dumm und unnütz wie überall sonst auch. Sie tragen nichts bei und Perspektivlosigkeit spricht aus ihrem

Blick. Mit zurückgegelten Haaren stehen sie auf Verkehrsinseln, kauen Hubba Bubba und beleidigen Passant*innen als »Kaiserschmarrn«.

Es gibt in dieser Stadt ein sehr lebendiges Nachtleben. Ich laufe an einem Laden vorbei, der nur Regenschirme verkauft.

Da sie tagsüber alle in Kaffeehäusern sitzen und viel Kaffee trinken, haben die Wienerinnen und Wiener Schwierigkeiten, einzuschlafen. Also gehen sie nachts in andere Cafés – solche mit Bier – und tanzen zu David-Guetta-Remixen von alten Falco Songs.

Die Droge der Wahl ist Kokain – auch weil das Gras nach Affenhaus riecht, aber vor allem weil Großmama und Großpapa auch schon Kokain konsumiert haben. Es wird hier stilvoller eingenommen als beispielsweise in Berlin, wo man sich auf einer trendigen Clubtoilette das Koks mit einem Lego-Technik-Bagger in die Nasenscheidewand tapeziert. In Wien wird es von kleinen Silberlöffeln aus Schnupftabakdosen geschnüffelt, während man im Cabaret Fledermaus Absinth trinkt.

Es gibt keine Prostituierten in Wien. Die Menschen haben Sex, indem sie eine Tasse Kaffee in den Ausguss schütten und dabei die Nase rümpfen. In Wien haben alle Menschen studiert und sie versuchen, dich das spüren zu lassen, aber man merkt es nicht.

Auf dem Rückweg verlaufe ich mich ein bisschen. Glücklicherweise finde ich bald an einer Ecke ein Taxi. Davor steht ein alter Mann mit Hut, der Tauben ein paar Brotkrumen zuwirft. Erst beim zweiten Hinsehen erkenne ich ihn als den Bürgermeister.

»Guten Abend, sind Sie frei?«

»Ah, geeeeh.«

»Ähm ... War das Zustimmung oder Ablehnung? Würden Sie mich bitte ins Ibis Hotel am Hauptbahnhof fahren?«

»Dodzen Dadzen.«
»Wie bitte?«
»Dodzen Dadzen golm! Inna Golm! Dodzen Dazen.«
»Ich kann sie leider nicht verstehen.«
»Bist deppat?«
»Do you speak English?«
»Speak German, you Hurensohn!«
Ich beschließe, zu Fuß zu gehen.

Wien im Herbst. Schöner kann es hier eigentlich nur im Winter sein. Wenn alles weiß ist. Wenn jeder Schritt knirscht. Und wenn aus der Staatsoper leise ein Walzer dringt. Wien ist wunderschön und kitschig. Man will es eigentlich nicht mögen, weil es so kitschig ist, aber man mag es trotzdem, weil es so wunderschön ist. Gerade bei Nacht. Um diese Dissonanzen – Kitsch und Schönheit, Pracht und schwierige Vergangenheit, Größe und Bedeutungslosigkeit, Historismus und McDonald's – aushalten zu können, hilft es, ein bisschen zynisch zu sein, grantig, morbid, nihilistisch und chic dabei. Wienerisch eben. Berlin verschluckt dich. Wien beachtet dich nicht und fühlt sich geil dabei.

Das ist der Vibe von Wien.

Seit ich nicht mehr rauche …

~~(habe ich so viele Emotionen)~~

Seit ich nicht mehr rauche, habe ich so viele verschiedene Gefühle – pls send help! Wie schreibt man eigentlich Golluars?

»Seit ich nicht mehr rauche, hab ich schon wieder total zugenommen. Aber gut … ich esse auch den ganzen Tag super viele Süßigkeiten. Da ist das wohl kein Wunder.«

»Das ist noch lange kein Grund, hier direkt die Wampe auszupacken!«, ruft der Busfahrer.

Die anderen Fahrgäste klatschen ihm Beifall.

»Das ist noch lange kein Grund, so 'ne Bitch zu sein«, erwidere ich und schnipse ihm meinen Bauchnabelfussel direkt ins Maul.

Seit ich nicht mehr rauche, sind alle anderen irgendwie voll die Bitches geworden. Seit ich nicht mehr rauche, bin ich hingegen viel cooler geworden. Ich benutze zum Beispiel wesentlich häufiger das Wort »Bitch«.

Eigentlich möchte ich das Wort nicht verwenden, weil ich es für frauenverachtend und diskriminierend halte. Seit dem Mittelalter wird es verwendet, um Frauen zu diskreditieren, die mit ihrer Sexualität nicht ins prüde heteronormative Wertesystem passen – geschweige denn ihre Sexualität frei ausleben.

Das, was ich gerade gesagt habe, ist ein Beispiel für etwas, das eine Bitch sagen würde ... Moment, das klingt, als wäre ich eine Bitch.

Seit ich nicht mehr rauche, bin ich ja viel cooler. Darum sage ich: Bitches be fuckin' or not and that's none of my goddamn business. Das ist tolerant und cool.

Seit ich nicht mehr rauche, benutze ich viel mehr englische Words. Zum Beispiel: Computer.

Ich beende den Thoughtgang, dann erhebe ich mich aus der Pfütze, in der ich bislang ganz cool around gelayt habe, und wundere mich. Hier ist gar keine Bushaltestelle. Wieso hat der Busfahrer mich hier outgethrowt? Dann bemerke ich aber, dass ich jetzt näher an meinem Ziel bin. Thanks, Busdriver. Seit ich nicht mehr rauche, erweisen die Menschen mir Respekt.

Ich setze meine Kopfhörer auf und gehe los. Auf meinem kurzen Weg durch die Innenstadt zähle ich 318 Bitches in allen Formen und Farben. Die Menschen sind so herrlich bunt und wundervoll und vielfältig – und alle sind sie leider Bitches. Ihre Whackness macht mich traurig.

~~Seit ich nicht mehr rauche, sind meine Texte politisch.~~
Seit ich nicht mehr rauche, sind meine Texte politisch schwer einzuordnen. Ich predige euch eine Botschaft der Toleranz und des Hasses. Seit ich nicht mehr rauche, ist es mir aber egal, ob meine Texte Sinn ergeben ... Nee, das war auch schon vorher so.

Währenddessen komme ich an einem weißen Pavillon vorbei. Davor stehen ein Mann und eine Frau. Sie sind ganz cute, weil sie beide das gleiche weiße T-Shirt mit einem Panda-Motiv tragen. Partnerlook! Sie sprechen mich an, aber ich kann sie nicht verstehen, weil ich immer noch Kopfhörer trage. Das muss ich aber auch gar nicht. Seit ich nicht mehr rauche, hat sich meine Sozialkompetenz massiv verbessert. Ich weiß genau, was die beiden wollen. Sie wollen meinen Dick! Deswegen hat er ein Klemmbrett in der Hand. Da können sie aufschreiben, wen sie schon alles gemeinsam gehabt haben. Nice, das freut mich für die beiden. Leider habe ich was zu erledigen. Ich streiche den beiden zärtlich mit den Daumen über die Wangen und sage: »Dieser Penis hat keine Zeit für euch, Bitches.«

Seit ich nicht mehr rauche, benutze ich meine eigene Sexualität, um Leute, die mich in der Innenstadt oder am Bahnhof einfach anlabern und mir irgendwas andrehen wollen, zu bestrafen. Und ja, ich rechne fest damit, dafür zu Recht im Gefängnis zu landen. Seit ich nicht mehr rauche, ist mir das aber egal, denn wisst ihr, wo man garantiert nicht in der Innenstadt oder am Bahnhof angelabert wird? Im Gefängnis. Ich schöpfe hier aus meinem reichen Erfahrungsschatz an Gefängnisaufenthalten.

Als ich an meinem Ziel ankomme, ist meine soziale Batterie fast vollständig aufgebraucht, trotzdem nehme ich die Kopfhörer ab und trete ein. Die Apothekerin lächelt mich freundlich an.

»Guten Tag, was kann ich für Sie tun?«

Eigentlich will ich sagen: »Nikotinpflaster, Bitch.« Stattdessen sage ich aber: »Halt dein Maul, bitte.«

Sie schaut erst sehr skeptisch, dann lacht sie plötzlich auf.

»Aha. Sie haben also vor kurzem mit dem Rauchen aufgehört und gestern Abend sind Ihnen überraschend die Nikotinpflaster ausgegangen und jetzt brauchen Sie dringend Nachschub, was?«

Eigentlich will ich sagen: »*Nein*, wie kommen Sie denn darauf? Ich kaufe Nikotinpflaster, weil ich hoffe, dass sich mal jemand in meiner Wohnung verletzt und ich der Person dann ein Nikotinpflaster aufkleben kann, um sie so abhängig zu machen. Marlboro zahlt mir dafür jedes Mal 50 €.«

Stattdessen sage ich aber: »Ich liebe dich.«

Sie lacht erneut auf. Seit ich nicht mehr rauche, ist ihr Lachen das schönste auf der Welt. Dann küsst sie mich sanft auf die Stirn und sagt: »Dieser Penis hat keine Zeit für dich.«

Ich bin perplex und antworte: »Das macht 40,85 €.«

Sie antwortet: »Das ist mein Text. Und warum ist das so teuer? Das ist ja so viel, wie du früher in der Woche für Zigaretten ausgegeben hast!«

Ich sage: »Naja, das ist aber 'ne zeitlich begrenzte Investition. Nach acht bis zwölf Wochen etwa zahle ich dann gar nichts mehr – weder für Zigaretten noch für die Pflaster. Man muss ja den Preis der Nikotinpflaster in diesen acht bis zwölf Wochen aufrechnen gegen das, was ich den Rest meines Lebens für Zigaretten ausgegeben hätte, wenn ich weiterrauchen würde. So wird ein Schuh draus.«

Sie lächelt. *Eigentlich* will sie sagen: »Das ist richtig und ich bin sehr stolz auf dich. Eine Stunde muss ich noch arbeiten, danach können wir für immer glücklich zusammen sein.«

Stattdessen sagt sie aber: »Bar oder mit Karte?«

Nach grob geschätzt zweieinhalbtausend Jahren verlasse ich endlich die Apotheke. Sofort esse ich acht Nikotinpflaster und ich spüre, wie eine krampfige Anspannung und Getriebenheit meinen Körper verlassen, mein Gang wird federnd und meine Gedanken klären sich auf.

Seit ich nicht mehr rauche, geht's mir eigentlich ganz gut.

Auf dem Heimweg entschuldige ich mich bei allen, die in diesem Text vorkommen.

Danach gibt es Würstchen und Kartoffelsalat

Geschrieben für: »Ich hasse Weihnachten« im MDR

Ich weiß, es fällt schwer, das zu glauben, aber die allermeisten Menschen feiern gar nicht Weihnachten. Sie haben ihre eigenen Bräuche und Feste. Und man mag deswegen – schon rein statistisch – zu dem Schluss kommen: Weihnachten nicht zu feiern, ist die beste Art, Weihnachten zu feiern. Davon weiß ich nichts. Ich weiß nur aus persönlicher Erfahrung von der *seltsamsten* Art Weihnachten zu feiern. Die passiert nämlich bei uns zuhause.

Ihr denkt euch jetzt bestimmt: »Aber Jan Philipp, du bist doch offensichtlich ein Atheist mit deutlichen positiv-nihilistischen Untertönen. Feierst du überhaupt Weihnachten?«

Erst mal danke, dass euch das aufgefallen ist. Die meisten Leute sehen mich an und denken sofort: »Aha, ein Agnostiker.« Das stimmt natürlich nicht. Das ist bloß meine machtvolle Ausstrahlung enormer Unentschlossenheit. Jede Sekunde, die man mich anschaut, muss man einfach denken: »Ohhohohoh! Pass auf, gleich passiert's! Da! Wieder keine Entscheidung getroffen.« Und ja, das ist nicht schön, nur aufgrund des Aussehens in eine Schublade gesteckt zu werden.

In Wahrheit bin ich natürlich ein Atheist mit deutlichen positiv-nihilistischen Untertönen. Ich muss aber dazu sagen, schon meine Eltern und Großeltern waren Atheisten mit deutlichen positiv-nihilistischen Untertönen. Ich bin da also reingeboren worden, aber wie alle anderen Menschen auf dem Planeten habe ich echt Glück gehabt, dass die Religion, in die *ich* reingeboren wurde, zufällig die *einzig wahre* ist.

Auch wir Atheisten mit deutlichen positiv-nihilistischen Untertönen – oder Amdpnus, wie wir uns selber nennen – wollen in den Wintermonaten nicht auf Feiertage verzichten, denn wie schon der große Denker und Philosoph Latka Gravas aus der sehr alten Sitcom Taxi sagte: »Das Einzige, was uns von den Tieren unterscheidet, sind sinnentleerte Rituale und geistloser Aberglaube.«

Lasst mich euch also erklären, wie wir Amdpnus unser Winterfest feiern ...

Weihnachten dauert bei uns *vier Tage*, einfach nur um zu zeigen, dass wir besser sind als Christen. Es heißt selbstverständlich nicht »Weihnachten – das Fest der Liebe«. Es heißt »Nietzschenachten – das Fest der Sinnlosigkeit allen Seins«.

Traditionell beginnt das Fest mit Tag eins. Außer einmal, 2007, als es mit Tag drei begann, aber da sprechen wir nicht mehr drüber. Darauf folgte Tag eins, dann Tag vier und dann überraschenderweise Tag zwölf, womit niemand gerechnet hatte. Spätestens da waren alle verwirrt und hatten Durchfall, also änderte man das wieder zurück.

Es beginnt also traditionell mit Tag eins am 24. Dezember – Heiligabend. Natürlich heißt der bei uns nicht Heiligabend, sondern Normalabend. Um den Normalabend zu feiern, muss man sich vor den Fernseher setzen. Dabei ist nicht wichtig, ob der Fernseher tatsächlich eingeschaltet ist. Es ist nur wichtig, dass zwischendurch immer mal wieder jemand sagt: »Ach, was für ein normaler Abend.«

Daraufhin müssen alle anderen erwidern: »Ja, stimmt. Heute ist nichts Besonderes passiert.«

Anschließend wird gestritten, danach gibt es Würstchen und Kartoffelsalat.

An Tag zwei gibt es Geschenke. Sie liegen unter dem Nietzschenachtsbaum. Was? Ihr kennt den Nietzschenachtsbaum nicht? Nieztschenachtsbaum funktioniert so, dass man einen grimmig blickenden Mann mit einem gigantischen Schnauzbart engagiert, der wochenlang im Wohnzimmer in der Ecke stehen muss, dort langsam welk wird und alle Leute, die zu nah an ihm vorbeigehen, übel beleidigt.

Unter dem Mann liegen dann die Geschenke. Aber keine normalen Geschenke, nein. Es sind atheistisch-nihilistische Geschenke. Dabei fragt man sich vorher: Welches Geschenk würde der beschenkten Person am wenigsten Freude bereiten?

Auf diese Weise erinnern wir uns gegenseitig daran, dass leben auch bedeutet, zu leiden. Letztes Jahr beispielsweise bekam ich einen alten Schuhkarton voll giftiger Seeigel.

Überreicht werden die Geschenke mit einem traditionellen Nietzsche-Zitat: »Was dich nicht umbringt, macht dich stärker.«

Das war letztes Jahr besonders witzig, weil ich gegen giftige Seeigel allergisch bin.

Einer Legende nach, an die niemand glaubt, werden die Geschenke vom atheistischen Weihnachtsmann gebracht. Er heißt Steve. Und er hat weder Zauberkräfte noch wohnt er am Nordpol. Er wohnt, glaube ich, in Bitterfeld. Er ist halt einfach nur irgend so ein normaler Typ und deshalb extrem überarbeitet. Eigentlich wollte er nie den Job als atheistischen Weihnachtsmann. Er hat sich mehr von seinem Leben erhofft, aber da ja ohnehin alles egal ist, spielt das auch keine Rolle. Sein Job ist ein kafkaesker Alptraum, sein Leben ein Strudel der Bedeutungslosigkeit und Verzweiflung. Die meiste Zeit fühlt er sich, als wäre er unter einer Schicht aus Eis gefangen und könnte nicht atmen. Dieses permanente Gefühl, zu ersticken … ohne Ausweg … Eigentlich warten wir alle nur auf den Tod, während wir langsam zerfallen. Was ist das auch für ein grausames Schicksal, dass man das Leben aus der Ich-Perspektive wahrnimmt, nur um zu sterben? Erst wird einem vorgegaukelt, man sei das Zentrum des Universums, dann lebt man – aus kosmischer Perspektive betrachtet – für ungefähr 5 Sekunden und danach hört man einfach komplett auf, zu existieren?! Für immer! Urknall. Dann 13,8 Milliarden Jahre random stuff. Dann für Sekunden Jan Philipp, der fragt: »Warum?« Und dann für immer nichts. Das ist doch irre! Wie soll man damit überhaupt umgehen? AAAAAAAAAAAAAAAAAAAAAAAAAAAAAAAAAAAAAAAAAAAAAAAAAAAAAAAAAAAAAAAAAAAAAAAAAAAAAAAAAAAAAAAAAAAAAAAAAAAAAAAAAAAAAAAAAAAAAAAAAAAAAAAAAAAAAAAAAAAAAAAAAAAAAAAAAAAAAAAAAAAAAAAAAAAAAAAAAAAAAAAAAAAH!

Entschuldigung. Kurze Nietzschenachtspanikattacke.

Dann wird gestritten, danach gibt es Würstchen und Kartoffelsalat.

Tag drei ist der Familie samt erweitertem Verwandtenkreis vorbehalten, muss aber nicht zwangsläufig mit der Familie samt erweitertem Verwandtenkreis gefeiert werden. Sehr beliebt sind da bei uns Amdpnus Schaufensterpuppen, die auf die Couch gelegt werden, um so Familienmitglieder zu simulieren. Oft ist das wesentlich angenehmer.

Ist die Familie aber tatsächlich persönlich anwesend, kann man sich entweder streiten oder aber gemeinsam in der Böbel lesen. Die Böbel – oder auch: Pöbel – ist im Prinzip eine normale Bibel, in der wir aber diverse Worte durchgestrichen und durch schmutzige Worte ersetzt haben. Hier ein Auszug: Lukas-Evangelium, Kapitel 2, Vers 11: »Denn euch ist heute der Heiland geboren, welcher ist Christus, der Herr, in der Stadt Pillemann.«

Das ist natürlich sehr albern, aber das ist halt einfach unsere Tradition. Das haben wir schon immer so gemacht. Hier noch einer: Matthäus-Evangelium, Kapitel 1, Vers 21: »Und sie wird einen Sohn gebären, dem sollst den Namen Rüdiger geben, denn er wird sein Volk von ihren eigenen Genitalien befreien.«

Meine persönliche Lieblingsstelle kommt aber aus der Bergpredigt: Matthäus-Evangelium, Kapitel 5, Vers 14: »Eine Stadt, die auf einem Berg liegt, mag nicht unentdeckt bleiben.«

Da haben wir nichts dran geändert. Das war uns schon albern genug. Ich möchte euch dazu auffordern, speziell diese Tradition zu übernehmen. Das macht viel Spaß.

Daran schließt sich der besinnliche Teil des Abends an. Es wird endlich der Weihnachtspranger aufgebaut. Der heißt auch bei uns wie in jeder anderen Familie einfach Weihnachtspranger. Jetzt wird dem Brauch gemäß jemand bestimmt, der an den Weihnachtspranger gestellt werden muss – häufig ist das einfach der Kleinste und Schwächste in der Familie. Der ist dann der sogenannte Nietzschenachtssündenbock. Der Nietzschenachtssündenbock muss den traditionellen Nietzschenachtshut tragen und all seine Sünden des vergangenen Jahres beichten, während er von den anderen dafür ausgelacht wird, dass er seine christliche Moralvorstellung nicht längst überwunden hat. Anschließend wird ihm mit einem Physiklehrbuch der Hintern versohlt. Ein traumatischer Spaß für die ganze Familie.

Dann wird gestritten, danach gibt es Würstchen und Kartoffelsalat.

Tag vier ist mein Lieblingstag, denn da geht richtig die Post ab. Zuerst werden ein Kamel, ein Löwe und ein Kind ins Wohnzimmer geführt. Das ist kein wirklich weirdes Krippenspiel, das ist eine ganz alte Nietzschenachtstradition. Wenn nämlich der Löwe das Kamel frisst, dann bedeutet das: Gott ist tot. Frisst der Löwe stattdessen das Kind, bedeutet das wiederum: Gott ist tot. Sollte jedoch das Kamel den Löwen und das Kind fressen, dauert der Herbst drei Wochen länger. Wenn nun aber das Kind den Löwen ODER das Kamel frisst, ist der Versuch ungültig und muss von vorne begonnen werden.

Danach hören wir die ersten 4 Sekunden des Audioguides einer speziellen Kunstausstellung aus Berlin in Dauerschleife für 4 Stunden. Die ersten 4 Sekunden gehen so: »Herzlich Willkommen zum Audioguide der Ausstellung Butter – Baustoff der Zukunft. Bitte gehen Sie durch den Euter in den ersten Raum.«

Um das Fest zu beschließen, starren wir alle so lange in den Kartoffelsalat, bis der Kartoffelsalat auch in uns hineinstarrt. Danach ist er zwar ungenießbar, aber es gibt ja noch Würstchen. Alternativ kann man auch streiten.

Seit ich Spotify Premium habe, hat sich mein Leben signifikant verbessert

Seit ich Spotify Premium habe, hat sich mein Leben signifikant verbessert – das liegt schon daran, dass ich die ganze hirnrissige Werbung nicht mehr hören muss. Am schlimmsten ist immer die Werbung von Spotify selbst. Allein die Tatsache, dass Spotify auf Spotify für Spotify Werbung macht, ist sehr dumm. Das ist, als würde ich meine Solo-Shows alle halbe Stunde unterbrechen, um zu rufen: »Kommt zu meiner Solo-Show!«

Und dann versuchen sie, es einem als große Revolution zu verkaufen, dass man die Musik jetzt auch runterladen und offline hören kann.

»Ich könnte sogar in einem U-Boot Musik hören!«

Das ist doch nichts Neues. Der Umstand, offline Musik zu hören, ist sehr alt. Es hieß früher MP3-Player. Und davor hieß es CD. Und davor hieß es Kassette. Und davor hieß es Platte. Und davor hieß es Instrument.

Es kommt mir tatsächlich so vor, als wäre das ein neuer Trend bei technischer Innovation. Einfach alte Zustände wiederherzustellen und das dann aber als große Neuerung anzupreisen, wie offline Musik zu hören oder diese iPhones ohne Kopfhöreranschluss. Früher hatte kein Handy 'n Kopfhöreranschluss. Und dann verkaufen sie dir aber diese Bluetooth-AirPod-Teile, die aussehen, als ob dir ein Schneemann ins Ohr gewichst hätte.

Das ist doch nix. Kopfhörer müssen doch groß sein und außen getragen werden, weil Kopfhörer vor allem ein Statement an alle anderen sind, das sagt: »Lass mich gottverdammt nochmal in Ruhe!«

Leider funktioniert das nicht. Da kannst du noch so große Kopfhörer aufhaben, die Leute labern dich trotzdem voll. Und dann auch noch so dumm. Ich meine, die sehen, dass du Kopfhörer aufhast und fangen trotzdem sofort an, zu labern, anstatt erst mal auf sich aufmerksam zu machen, zu warten, bis du die Dinger abgesetzt hast, und dann vollzulabern.

Ich habe mittlerweile die Fantasie entwickelt, dass ich das nächste Mal, wenn mich jemand einfach vollquatscht, die Kopfhörer gar nicht mehr absetze.

»Entschuldigen Sie, junger Mann, geht es hier zur U-Bahn?«

»Ich kann Sie nicht hören, ich hab Kopfhörer auf.«

»Ja, nehmen Sie die doch ab, dann können Sie mich auch verstehen.«

»Nee, deswegen trag ich die ja.«

»Moment mal, Sie antworten aber auf meine Fragen ...«

»WAS?«

Kurzer anekdotischer Einschub: Neulich stand ich in Frankfurt am Hauptbahnhof am Gleis unter einer dieser Anzeigetafeln mit den Abfahrtszeiten von den Zügen und da hatte ich auch Kopfhörer auf, einfach um die Kakophonie menschlicher Existenz um mich herum auszublenden, als mich plötzlich ein Mann ansprach. Höflich, wie ich nun mal bin, ließ ich den

Mann ausreden, nahm dann die Kopfhörer ab ... und er musste alles nochmal erzählen. Ein herrlicher Unsinn. Ein herrlicher Unsinn, der ihm nicht auffiel.

»Fährt der Zug nach Mannheim?«, er deutete auf das Gleis, an dem wir uns befanden.

Nachdem ich einen Blick auf die Anzeigetafel über uns geworfen hatte, was er übrigens genauso gut gekonnt hätte – seien wir ehrlich, etwas, das er besser gekonnt hätte als ich – ich musste mich dafür umdrehen, er hätte einfach nur den Kopf anheben müssen. Aber gut, wenn ich dumm wäre, würde ich das Risiko wohl auch nicht eingehen wollen, dass mir beim Heben des Kopfes das Gehirn die Wirbelsäule runterkullert. Dann fällt das aus dem Arsch raus und erklär das mal!

Nachdem ich einen Blick auf die Anzeigetafel geworfen hatte, offenbarte sich die Antwort auf seine Frage.

»Nein«, sagte ich.

»Ganz sicher?!«, fragte er.

»Ziemlich sicher, der Zug endet hier.«

»Wiiie?! Der Zug endet hier?«

»Ja, pass mal auf, Kollege. Siehste da hinten am Ende des Gleises die große Klappe im Boden? ... Die geht gleich auf und da geht der Zug dann rein. Dort unten pressen sie ihn zu einem winzigen Würfel zusammen. Das machen die mit allen Zügen, die irgendwo enden, und wenn sie eines Tages genug dieser Zugwürfel beisammenhaben, dann puzzeln sie aus denen einen neuen Zug. Es ist nicht effizient, aber es ist die einzige Methode, die wir kennen, um neue Züge herzustellen.«

»Echt?!«

Nein, das hat er nicht gesagt. Was er in Wahrheit gesagt hat, war: »Hören Sie mal, wenn Sie nicht mit mir reden wollen, dann können Sie das auch einfach sagen.«

Und ich hab in dem Moment sehr laut gedacht, ich hätte es fast gesagt: Ich hatte Kopfhörer auf, du Erdbeereis im Gulasch der Intelligenz.

Aber das muss ich alles nicht mehr ertragen, das ist vorbei. Jetzt setze ich einfach die Kopfhörer auf, höre Musik ohne Unterbrechungen und ignoriere die Welt um mich herum. Und dann wünsche ich mir, ich könnte die Kopfhörer noch öfter tragen – zum Beispiel beim Friseur. Wer auch immer sich den Spruch ausgedacht hat »Das kannst du deinem Friseur erzählen«, war offensichtlich noch nie beim Friseur. Ich finde keine Anknüpfungsstelle in diesem kontinuierlichen Monolog der Belanglosigkeit. Wie sollte eine Anknüpfungsstelle auch aussehen?

»Ja, jetzt wo Sie's sagen, ich hatte auch schon ... Haare.«

Ich muss mich beruhigen. Eigentlich sollte der Text davon handeln, dass es mir signifikant besser geht. Zum Abschluss des Textes vielleicht ein Gedanke, der mir dabei hilft und euch auch vielleicht ein bisschen: Ich habe im Internet gelesen, dass bei Elefanten, wenn sie Menschen angucken, die gleichen Hirnregionen aktiv werden wie bei uns, wenn wir Kätzchen oder Babys angucken.

Elefanten finden uns süß! Wie wundervoll ist das denn? Ich möchte nicht mehr ohne diesen Gedanken sein. Selbst wenn das gelogen ist, das ist mir total egal, irgendwo da draußen ist ein Elefant und er findet mich süß.

»Aber Jan Philipp, was ist denn mit Angriffen durch Elefanten zum Beispiel auf Touristen in Safari-Parks, wenn die uns so süß finden, warum greifen die uns dann an?«

Ja, natürlich, nachvollziehbarer Einwand. Aber: Wenn ich in meinem Wohnzimmer säße und auf mich käme ein Jeep mit zwölf Babys drin zugerast, die anfangen, Fotos von mir zu machen, ich würde auch hart eskalieren. Da kann man den Elefanten jetzt keinen Vorwurf machen. Aber man sollte ihnen sehr große Kopfhörer zur Verfügung stellen ... und Spotify Premium.

Zeichnungen

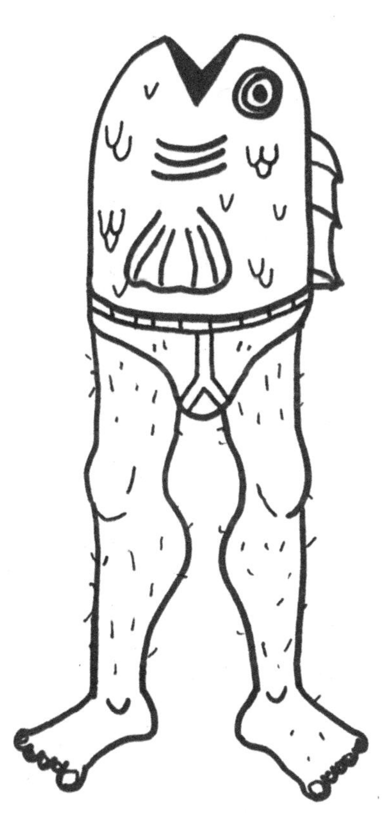

Mario
riecht die
Sonne

In der Kreidezeit gab es keinen Arbeitsschutz

Okay, auf 3 heben wir den Stahlträger auf und tragen ihn zur Baustelle.
1... 2 ... 3!

BONK!

Und so sind die Dinosaurier ausgestorben...

(Ja, alle. Ruhe jetzt.)

Ich, wenn ich die Pläne, die ich gemacht habe, als ich gut drauf war, dann plötzlich einhalten muss ...

Die Maske fällt
Pferd
Pferd
Pferd
Pferd
Pferd
Kuh
Und ich dachte, ich kenne dich.

Das schönste am Winter ist echt,
einen Fleischmann zu bauen,

aber manchmal habe ich Angst,
dass sie lebendig werden und dann
in der Buchhaltung arbeiten.

Von einer „guten" Fee ...

Du wirst mal sehr stark, Susi.

Und du sehr schlau, Klaus.

Und du, Jan Philipp ...

guguh gah

Ähhm...

gahga gugu

Du kriegst 'nen ganz tollen Humor.

Deine Flügel seh'n aus wie ein Arsch.

ich

LEBEN
Just fit in!

Karneval

Magst du es, dich zu verkleiden?

JA!

Magst du laute Musik und saufi?

Lecker, Lecker!

Magst du ...
Karneval?

IGITT!

BAH!

Nachdem Aang rausgefunden hatte, was Elemente wirklich sind,

fand er in der Schweiz einen Job als Teilchenbeschleuniger.

Wie ich Aufgaben bearbeite

Schritt 1:
Die Aufgabe aufschieben

Wenn ich nich gucke, ist die Aufgabe gar nicht da!

Schritt 2:
In letzter Minute alles erledigen

I AM SPEED !!!

Schritt 3:
Das Ergebnis betrachten und zu der Erkenntnis gelangen, dass es besser geworden wäre, wenn man sich mehr Zeit genommen hätte

UN ZUFRIEDEN!

ERGEPNISZ

Schritt 4:
Trotzdem damit durchkommen, sich aber so schuldig für alles fühlen, dass man emotional für das Aufschieben und das "schlechte" Ergebnis gebüßt hat

HAHAHA HAHAHA

NADA!

Pups!

ES ÄNDERT SICH GAR NIX!

Der Entschuldigungsbär entschuldigt sich schon unangenehm oft.

Geschichte?

Was macht eine Geschichte aus?

Könnte das hier schon eine Geschichte sein?

Nö.

The End.

JA.

Wenn ich eine Kartoffel wäre, dann wäre ich keine gute Kartoffel.
Ich wäre eine böse Kartoffel!
Hehehe...
Ich würde rumliegen und böse Gedanken denken.
Höhöhö!
Boah, wenn ich gehen könnte... ich würd so doll vor Kindern über 'ne rote Ampel gehen!

Was machen die Bienchen und die Blümchen?

Sie sitzen awkward auf der Couch, denn eigentlich haben beide richtig Bock, aber niemand traut sich.

4 lustige und freche Namenskonzepte für Kindergartengruppen

Konzept 1: „zukünftige Berufe"	Konzept 2: „Logopädisches Training"
Gruppe 1: Die Bankkaufleute	Gruppe 1: Accessoires
Gruppe 2: Der Einzelhandel	Gruppe 2: Streichholzschächtelchen
Gruppe 3: Die Systemgastronom*innen	Gruppe 3: Triolologie
Gruppe 4: YouTuber & Influencer	Gruppe 4: Quantenchromodynamik
Gruppe 5: Anwälte	Gruppe 5: Fünfhundertfünfundfünfzig

Konzept 3: „Die Wahrheit"	Konzept 4: „Psychospielchen ♥"
Gruppe 1: Die Gewaltbereiten	Gruppe 1: Die Gewinner
Gruppe 2: Die Nichsoklugen	Gruppe 2: Die Sieger
Gruppe 3: Die Unselbständigen	Gruppe 3: Die Besten
Gruppe 4: Die Ekligen	Gruppe 4: Die Versager
Gruppe 5: Die Langweiligen	Gruppe 5: Gruppe 5

„Nein, ihr dürft leider erst wieder zum Spielen raus, wenn die Anwälte fertig sind."

Mein Beauty Secret

Ein 5-Schritte-Plan

1.

Schlafmangel

2.

zweifelhafte Ernährung

3.

rigorose Körperpflege

4.

exzessives Sorgen machen, dass andere mich für ein Arschloch halten könnten

5.

Wenn die Welt gerecht wäre ...

Fabelwesen des Ruhrgebiets

Der Currywurstwoller

Bartpflege in 4 Schritten – mit Jan Philipp

Schritt 1:
Morgens trinke ich 'ne Flasche Alpecin.

Doping NICHT NUR für die Haare!

Alpecin

Schritt 2:
Für 1,5 Stunden vibriere ich.

Das öffnet die Follikel!

Schritt 3:
Danach halte ich meinen Bart in einen Wasserfall.

FRESH!

Schritt 4:
Abschließend schlagen mir Zwerge mit Hämmern ins Gesicht.

Das schließt die Follikel wieder.

Und macht Spaß!

Bonjour, mes amis.
Halt die Schnauze, Michael! Frankreich ist noch gar nicht erfunden!

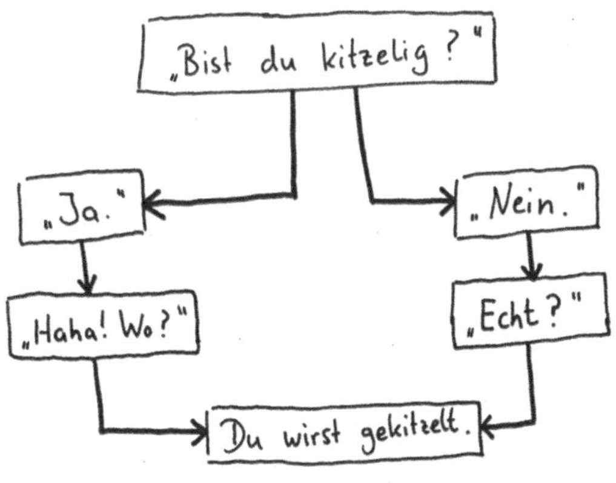

Strategien, um nicht gekitzelt zu werden

1. Nie wieder duschen.
2. Immer, wenn jemand dich berührt, flüstern: „Ich rate dir, nicht in meine Kill Zone einzudringen."
3. Ein T-Shirt mit dem Gesicht von Christian Lindner tragen.
4. Kleidung tragen, die aus Scheren gemacht ist.
5. Wenn jemand dich kitzelt, rufen: „Nicht! Davon bekomme ich eine Erektion!" (Achtung: Funktioniert nicht oder besser für Leute ohne Penis.)

Wie gestalten wir das Date?

Option 1: Wir unternehmen was lustiges wie Minigolf, oder Billard, oder 'nen Bastellkurs und lernen uns dabei ganz locker und ungezwungen kennen.

Igitt!

Option 2: Wir sitzen uns gegenüber, starren uns an und hoffen, dass so ein natürliches Gespräch auf magische Weise einfach fucking passiert, das nicht awkward ist.

Mein Sohn...
Ich nenne ihn Jan Philipp und ich hoffe, er kann später werden, was immer er will!
Moment mal... was ist, wenn er radioaktiv werden will?
PLUMPS
Und jetzt bin ich
COMEDIAN

SOMETIMES YOU NEED A
BREAK

EVEN FROM NOT GIVING
A FUCK

Mama Zymny:
Hast du dich auch warm genug angezogen?
Ich:
Skianzug
Thermo-unterwäsche
Schuhe mit Profil
Winter neuerdings 12° +

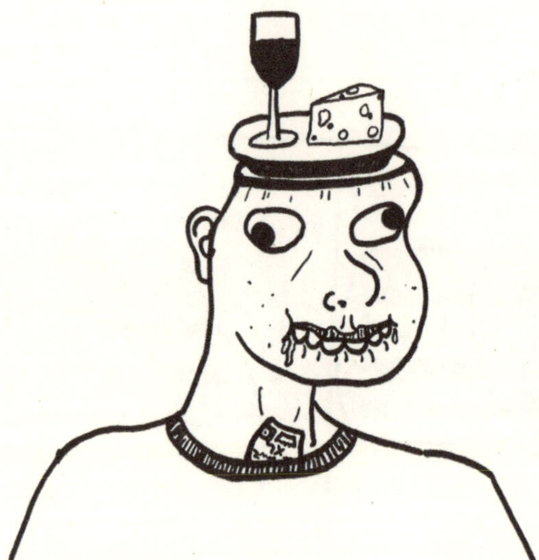

Vollständige
Hirnamputation

Weihnachtslied!

Auch ich bin 'ne Weile lang so zur Schule gelaufen:

WARUM?

Warum Monogamie?
Warum Polygamie?
Warum überhaupt Gamie?
Warum der Mensch?
Warum das Universum?
?
?
Warum überhaupt Existenz, ne?
OHR
UNSEIN
HELP
MMM
FRÄGI
BONUS RECHTECK!

Als ich mal 3 Monate
nicht zum Frisör gegangen bin,
sah ich so aus.

Du hast mein Schwert.
Und meinen Bogen!
Und meine Axt!
!!! BZZZZCH !!!
WRRRRR
Jan Philipp... nein!

Irgendwie wartet man immer nur darauf, dass Scheiße passiert.

Katzenarbeit

Klausi

begeht schon wieder Verbrechen.

Menstruation be like

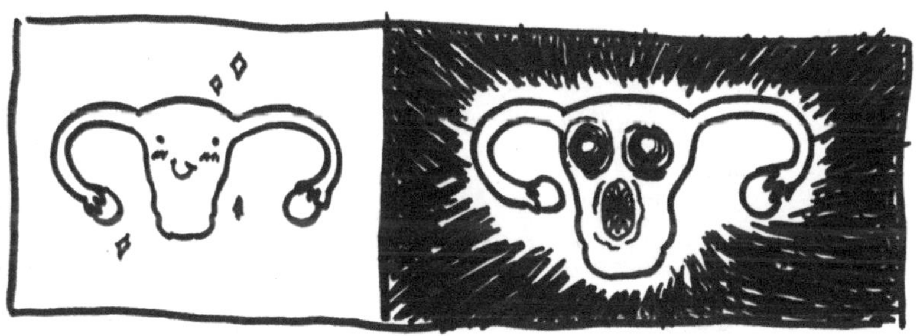

Meine Morgenroutine ist...

Chaos und Überleben.

Legostein, der auf einen Menschen tritt

Ich bin nicht unromantisch,

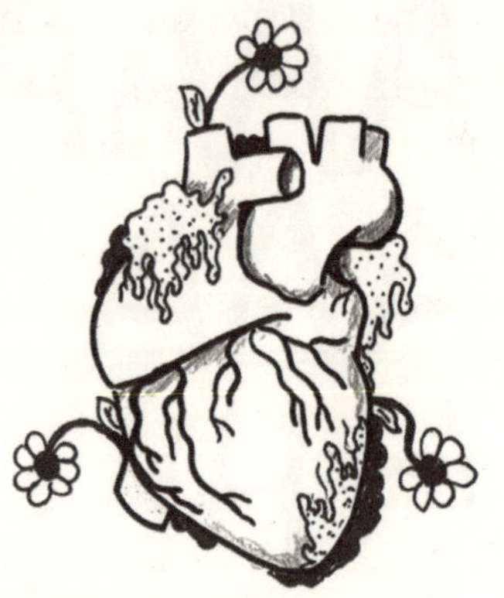

Mein Herz ist nur geschimmelt.

Büste eines Lamas
oder: Neue Merch-Idee

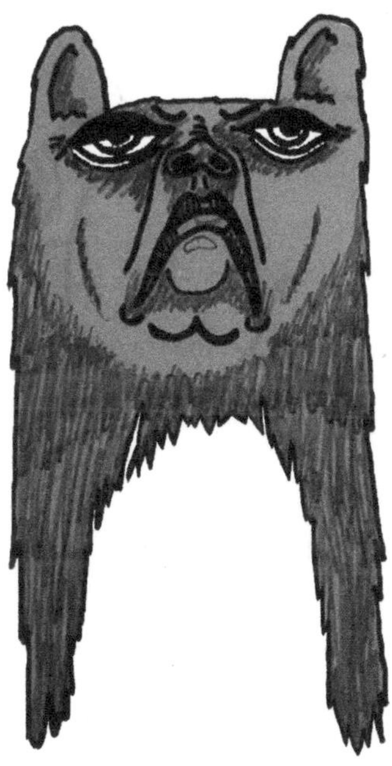

Fickbert
Arschheimer

Es gelüstet mich, sie alle zu besitzen.

#4 Glamandu

#7 Schillom

#1 Börek

#23 Gunschlang

#24 Schlanggun

und seine Weiterentwicklung

#78 Überresty

#129 Karpfolol

#105 Grabraubi

\# 19 Rattikatz

\#54 Enton John

#108 Ed von Schleck

#143 Entspannerich

#50 DIK

Das ist alles hier
sehr unangenehm.

#51 Tomanydik

Ach ja?
Frag uns
mal!

Texte aus »surREALITÄT«

Ich will nicht 30 sein, ich will einfach nur ich selbst sein

Ich will nicht 30 sein. 30 zu sein, macht keinen Spaß. Man kann nichts mehr genießen, wenn man 30 ist. Weil du zu viel weißt über die Welt. Du stehst in der Küche, trägst Schuhe, isst einen Keks und sofort springt das Internet aus deiner Hose, tritt dir vors Schienbein und kreischt: »Deine Schuhe werden in Plemmbikistan von Kindern hergestellt und diese Kinder müssen 36 Stunden am Tag arbeiten, ohne Bezahlung, zu essen kriegen sie nur Sägespäne und alte Batterien und wenn sie eine Blume sehen, werden sie umgebracht, weil ihr Leben sonst zu schön ist. Außerdem ist in den Keksen Weizenmehl und davon wirst du fett und in Weizenmehl ist Gluten drin und das schmieren Assassinen auf ihre Messer, wenn sie Kinder töten … in Plemmbikistan!«

Man hat keine Freunde mehr, wenn man 30 ist. Weil niemand mehr Zeit hat für dich. Die Leute haben ernsthafte Jobs und manche kriegen sogar Kinder. Kinder! Pah! Haben die Menschen kein eigenes Leben?

Biologisch gesehen bedeutet Kinderkriegen, dass man sagt: »Ich habe aufgegeben. Ich erwarte nichts mehr von meinem Leben. Zeit für die nächste Generation.«

Schlimmer sind nur Leute, deren Kinder schon groß sind. Die haben selbst noch die letzte biologische Funktion erfüllt – die Aufzucht. Denen bleibt, in einem Schrebergarten auf den Tod zu warten. So, wie es der liebe Gott gewollt hat.

Man hat keine Freunde mehr, wenn man 30 ist. Du hast nur noch Leute, die du mal über die Arbeit kennengelernt hast und bei denen du dir unsicher bist, ob du die überhaupt magst. Dafür sitzen die dann aber einmal im Quartal in deinem Wohnzimmer und trinken Rotwein, den sie selber mitgebracht haben. Weil du keinen Rotwein hast. Das ist ein Getränk für Erwachsene. Du hast nur Bier. Und im Gemüsefach liegt seit einiger Zeit eine Flasche mit Flüssigkeit. Die Flüssigkeit, die heißt: die Mische. Und die Mische ist blau und die Mische schmeckt auch blau, weil sie aus Schlümpfen gekeltert wurde, um Kinder besoffen zu machen. Wenn man sie trinkt, kriegt man Kopfschmerzen und funktioniert wie die Zeitmaschine, die das Wochenende »vorbei« macht.

Diese Leute, die du über die Arbeit kennengelernt hast und die Rotwein trinken, sagen nur schreckliche Dinge. Abscheuliche Dinge wie zum Beispiel: »Ich habe jetzt Besteck von WMF.«

Und du denkst: »Du Arschloch, dafür hab ich mir doch keine Hose angezogen, damit du mir deine Besteck-Abenteuer erzählst!«

Aber das hält die Leute nicht auf, die machen einfach weiter: »Besteck von WMF ist das beste. Meine ganze Wohnung ist von WMF. Ich glaub, ich bin aus WMF gemacht. Du musst mal vorbeikommen, dann verwandle ich dich auch in WMF.«

Die Leute reden entweder von Besteck oder von den schlimmen Dingen, die ihnen passiert sind. Du kennst jetzt Leute, die was erlebt haben. Menschen mit Erinnerungen, Tragödien und lebensverändernden Ereignissen. Menschen, die nicht mehr dieselben sind wie früher. Mit denen will man doch nicht reden. Man will mit Leuten reden, die nichts erlebt haben und trotzdem sehr starke Meinungen vertreten. Menschen Anfang 20 eben.

Außerdem kann man niemanden mehr daten, wenn man 30 ist. Du hast nur noch »ernsthafte Beziehungen«. Und dann fragst du dich, wie eine Beziehung denn *nicht* ernsthaft sein könnte. Schließlich muss man dafür anwesend sein. Es ist nur dann Casual Dating, wenn eine Person beim Date zuhause bleibt oder wenigstens im Restaurant einen Bademantel trägt. Das geht auch.

Vor allem aber gewinnst du die Vorstellung, dass »ernsthaft« hauptsächlich bedeutet, dass du die Eltern kennenlernen musst. Du hasst es, die Eltern kennenzulernen. Noch mehr Leute mit angeblich verschiedenen Namen und Gesichtern. Dann heißen die Beate und Rainer und sehen auch so aus. Und am liebsten würdest du von der Familie nur den Hund kennenlernen. Der sieht sympathisch aus.

Aber dann stehst du da, in deren Haus, und du weißt nicht, wie das geht. Weil wie steht ein normaler Mensch? In einem Haus auch noch! Das ist ein Spezialfall! Was sind die lokalen Regeln und Gepflogenheiten? Alles ist voll mit persönlichen Gegenständen und Kinkerlitzchen, die etwas über die Identität der Leute sagen, die hier leben.

Plötzlich sitzen alle am Tisch, mit dem guten Geschirr, und sie begutachten dich, als müsstest du jetzt rechtfertigen, dass die für dich das gute Geschirr ausgepackt haben! »Bist du würdig, Bursche? Das *gute* Geschirr.«

Die Großeltern sind auch ... Sie sind! Das reicht schon aus! Die heißen vermutlich Gerbenga, Hänschenklein, Schlachtute und Flönkfried. Kann aber auch sein, dass du dir die Namen ausgedacht hast, weil du dir die echten nicht merken konntest. Schließlich guckt Gerbenga deine Freundin an, mit ihren 100 Jahre alten Augen, und sagt den zentralen, den kardinalen Satz des Abends: »Jetzt hast du endlich deinen Prinzen gefunden.«

Andere würden sich vielleicht geschmeichelt fühlen und denken: »Jaha! Ich bin der Prinz. All diese Ländereien werden eines Tages mir gehören.«

Aber du denkst nur: »Warum lügt die? Warum lügt Gerbenga? Ich bin doch kein Prinz. Ich bin bestenfalls der psychisch auffällige Cousin des Hofnarren.«

Also musst du was sagen, bevor du die Eltern kennenlernst. Schließlich führst du eine ernsthafte Beziehung. Da spricht man über seine Gefühle. Und du hörst dich sagen: »Ich habe Angst davor, deine Eltern kennenzulernen.«

»Ach was, das ist keine Raketenwissenschaft.«

»Nein, eher Unterwasserbuchhaltung. Es ist kompliziert, langweilig und der Druck ist hoch. Der Druck ist hoch!«

»Was? Wovor hast du denn Angst?«

»Ich weiß nicht, wie man in einem Haus ist und was ist, wenn ich mal aufs Klo muss, aber keine Ahnung habe, wo das ist?«

»Dann fragst du.«

»PFHSAHASFHA ... Selbst wenn das möglich wäre, einfach so zu fragen ... Ich meine, wo kommen wir denn da hin? Da wissen deine Eltern ja, dass ich aufs Klo gehe. Nein. Und was mache ich, wenn die wissen wollen, ob ich groß oder klein muss, und dann bin ich überfordert, will mich nicht festlegen und sage: ›Mittel‹. Dann muss ich das erklären.«

»Was? Jan Philipp, ist das nicht alles ein bisschen übertrieben, unrealistisch und irrational?«

»Ja ... Entschuldigung, du hast recht. Das ist unrealistisch und irrational. Tut mir leid. Ich werde einfach den Abend lang einhalten.«

Dann schimpft sie. Und für sie scheint alles immer so leicht zu sein. Und für dich scheint alles immer so schwierig zu sein aus irgendeinem Grund. Also nickst du nur und versuchst, die in dir aufsteigende Panik zu unterdrücken, wenn du an den Abend denkst.

Nein, ich will nicht 30 sein. Das macht keinen Spaß. Ich will aber auf der anderen Seite auch nicht so tun, als ob ich ewig jung geblieben wäre. So wie diese alten Leute, die pseudolocker auf jugendlich tun. Diese Berufsjugendlichen. Das ist sehr unangenehm. Igittigitt! Das fühlt sich schnell an wie die arme, arme Frau von der Tagesschau, die jedes Jahr aufs Neue das Jugendwort des Jahres erklären muss. 2021 war das Jugendwort des Jahres »cringe« … Das hatte eine seltsame Ironie. Sie hätte es gar nicht erklären müssen. Allein, dass diese distinguierte Dame im Fernsehen in der Tagesschau das Wort »cringe« in den Mund genommen hat, ist Erklärung genug für »cringe«.

Nein, das will ich auch nicht. Aber ich will auch nicht 30 sein. Ich will einfach nur ich selbst sein.

HOT STUFF

Als ich meine Wohnungstür öffnete, stand sie völlig nackt vor mir. Ihre Augen warfen mir einen dieser Schlafzimmerblicke zu, die sagen sollen: »Nimm mich jetzt, denn später muss ich noch zum TÜV. Also mach hinne, du Eumel.«

Ihre Augen waren sehr ausdrucksstark. Eine Weile lang genoss sie, wie ich ihren entblößten Körper betrachtete. Das musste arschkalt sein im Treppenhaus. Niemand sprach ein Wort. Schließlich gurrte sie: »Jan Philipp, ich will, dass du mich reinbittest, ins Schlafzimmer führst und mich mit Batterien bewirfst.«

Eine Frau, die wusste, was sie will. Langsam stellte ich meine Alditüte ab und mit einem sanften *Crunch* zerbröselten die TUC-Kekse, die lose darin lagen. Fuck, die hatte ich eigentlich noch essen wollen. Ich seufzte. Dann blickte ich ihr direkt in die Augen und fragte: »Wer bist du?«

Das schien sie zu verärgern. Sie stemmte die Hände in die Hüften und knickte mit dieser leicht nach rechts ein. Das sah schon sehr gut aus. In puncto Ästhetik kann der männliche Körper oft einfach nicht mit dem weiblichen mithalten. Besonders das männliche Genital sieht aus wie ein Oktopus, der in einen schlimmen Autounfall geraten ist, sodass nur ein einzelner Tentakel übrigblieb. Wer auch immer Bock hat, sich freiwillig damit auseinanderzusetzen, hat komplett unabhängig von Geschlecht oder Sexualität Respekt verdient.

»Hast du mir zugehört, Jan Philipp?« Ihre schneidende Stimme riss mich aus meinen Gedanken.

»Nein. Ich habe darüber nachgedacht, dass Penisse aussehen wie aggressive Edelsalamis, die aus haarigen Lederbeuteln ragen. Und dass das ein guter Name für eine Punk Band wäre.«

»Was?«

»Was?«

Eine verwirrte Stille legte sich über das Treppenhaus. Durchbrochen wurde sie erst von der Omi von gegenüber, die ihre Tür öffnete, aufschrie und die Tür sofort wieder zuschmiss.

»Ich hab dich gefragt, Jan Philipp, ob das nicht egal ist, wer ich bin? Du willst mich doch bestimmt so oder so«, behauptete sie, während ein süffisantes Lächeln ihre Lippen umspielte.

Das fand ich jetzt nicht so. Den eben erwähnten Respekt mal bei Seite gelassen, wer unangemeldet nackt an meiner Wohnungstür klingelt, muss erst mal ein paar Fragen beantworten. Das find ich ganz normal so.

Scheinbar dauerten ihr meine gedanklichen Erwägungen zu lange. Sie trat einen Schritt auf mich zu und fasste mir dann in den selbigen. Der Ausdruck der Überraschung in ihren Augen irritierte mich. Was hatte sie denn erwartet? Ihr Mund zitterte leicht, dann stammelte sie: »Freust du dich, mich zu sehen, oder hast du da einen ... ähhh ... hast du ... öhm ... Was hast du da in der Hose?«

Langsam öffnete ich meine Jeans und holte einen fast gelösten Zauberwürfel hervor. Der Ausdruck der Erleichterung, der jetzt ihr Gesicht befiel, irritierte mich erneut. Erleichterung wäre angebracht gewesen, wenn der Würfel gelöst gewesen wäre.

Schon wieder schaute sie mir so kokettierend in die Augen – als gäbe es dort etwas umsonst! Sehr schnell blinzelte ich 28 Mal, um ihre Konzentration zu brechen, und rief dann: »Potzblitz!«

Das sind so Taktiken, die ich mir selbst ausgedacht habe, um in schwierigen Situationen die Dominanz über das Gespräch zurückzuerobern. In der hier gegebenen Lage war ihre Anwendung nötig.

Dann warf sie sich mir jedoch ohne Vorwarnung um den Hals und gurrte: »Jetzt lass mich endlich rein und steck mir dein Portemonnaie in den Mund!«

Das war zu viel. Ich stieß sie von mir fort. Mir gefällt das ja auch, wenn Sex dirty ist, aber es gibt Grenzen! »Jetzt pass mal auf, du schräge Olle. Du musst mir dringend mal sagen, wer du bist, sonst ruf ich die Polizei.«

»Na gut, na gut. Ich heiße Esmeralda und ich hab dich 2017 mal gestalkt.«

Sofort schossen mir Erinnerungen in den Kopf. 2017 war ich häufiger von einer mir unbekannten Telefonnummer angerufen worden. Selbstverständlich war ich nicht drangegangen. Wie jeder vernünftige, erwachsene Mensch hatte ich auf das Telefon gestarrt, bis es aufgehört hatte, zu klingeln, und dann die Nummer gegoogelt. Kein Ergebnis. Das war schon gruselig gewesen. Aber richtig gruselig war es erst geworden, als Anfang 2018 plötzlich keine Anrufe mehr eingegangen waren. Denn wenn man nichts mehr von seinem Stalker hört, dann muss man sich auf einmal fragen: Hat der aufgegeben oder ist der *sehr gut* geworden?

Wieder war sie es, die mich aus meinen Gedanken riss.

»Aber auch wenn ich dich mal gestalkt habe, Jan Philipp, willst du mich doch bestimmt trotzdem, oder? Du kannst mir einfach nicht widerstehen.«

Anscheinend genoss sie es, begehrt zu werden, und da fiel mir natürlich jemand Passendes für ein … Hehehe …

»Ich ruf die Polizei«, sagte ich.

»Was?! Nein!«

»Guten Tag, hier ist auch schon die Polizei.«

»Das ging schnell. Ich musste nicht mal anrufen.«

Das Treppenhaus hinauf schlurften eine Polizistin und ihr Gatte: der Polizeirüde. Dass die beiden kinky waren, konnte ich sofort an ihren Uniformen und den Handschellen erkennen. Sie hatten kaum die letzte Stufe erklommen, als die Tür der Omi von gegenüber einen Spaltbreit aufging und sich ein anklagender, knöchriger Finger daraus hervorschob: »Dat sin se, die Perversen!«

»Ich hab gar nix gemacht!«, protestierte ich.

»Die gehören wechgesperrt, alle beide!«

»Warum das denn?! *Die* hat doch bei *mir* geklingelt!«

Das war ganz schön unfair von der Omi, mich da mit reinzuziehen.

»Lass es, Jan Philipp!«, warf die nackte Esmeralda ein: »Das ist jetzt wirklich nicht der richtige Zeitpunkt, das Spiel fortzuführen.«

Jetzt mischte sich die Polizistin ein: »Was meinen Sie damit, ›das Spiel fortzuführen‹?«

»Der Klotzkopf da ist mein Freund und wir machen ein Rollenspiel. Wir tun so, als würden wir uns nicht kennen, dann steh ich nackt vor seiner Tür und er ist aber sofort so angetan, dass er mich reinbittet und wir vögeln. Das war zumindest der Plan.«

»Perverse Schweine!«, rief die Omi. Die Polizistin wandte sich an mich: »Stimmt das, was die Dame gesagt hat?«

»Ich habe diese Frau noch nie in meinem Leben gesehen!«, erwiderte ich.

Die Nackte schüttelte den Kopf. »Er steckt da zu tief drin.«

Stille.

Schließlich wandte sich die Polizistin an Esmeralda: »Also, Sie sagen, er sei Ihr Freund, aber er sagt, er kenne

Sie nicht. Haben Sie denn einen Ausweis dabei?«

Wieder Stille im Treppenhaus. Esmeralda schaute an ihrem nackten Körper herab, dann zur Polizistin.

»Ja, gut, blöde Frage. Wie heißen Sie denn?«

»Sie hat gesagt, ihr Name sei Esmeralda und sie habe mich 2017 mal gestalkt!«, warf ich ein.

»Jan Philipp, halt die Klappe. Das war nur Teil des Spiels!«

»Welches Spiel? Ich kenn Sie gar nicht!«

»Alles klar«, die Polizistin packte Esmeralda am Oberarm. »Wir nehmen Sie jetzt mit auf die Wache. Da werden Sie erkennungsdienstlich behandelt und dann wird sich ja klären, wer Sie sind.«

»Das ist alles ein großes Missverständnis!«

Ich schloss die Tür.

Sechs Monate ist das nun her, dass die Polizei meine Freundin weggebracht hat. Ich habe sie seitdem nicht mehr gesehen, aber ich bin sehr stolz auf mich, dass ich unser Rollenspiel so konsequent durchgezogen habe. Manchmal vermisse ich sie, aber dann schaue ich mir alte Fotos von uns an und hoffe, dass es für sie genauso schön war wie für mich.

Beim Arbeitsamt

»Guten Morgen, bin ich hier richtig beim Arbeitsamt?«

»Mhm. Guten Mittag. Lassen Sie bitte die Maske auf.«

»Äh ... Ich hab die gar nicht abgenommen.«

»Ach, ich dachte, das wäre Ihr Gesicht. Na, schön. Ihr Name, bitte.«

»Jan Philipp Zymny.«

Beamter *(tippt)*: »Ahhh, hier habe ich Sie. Sie sind Autor und Comedian, wie?«

»Das können Sie in Ihrem Computer sehen?«

»Ja. Ich kann sogar noch mehr sehen. Zum Beispiel Ihren Internetbrowserverlauf. Heute haben Sie gegoogelt: ›Alternative Erwerbsmöglichkeiten für Comedians‹, dann ›Wie investiert man in Aktien?‹, dann ›Was sind Aktien?‹, dann ›Wie macht man einen OnlyFans-Account?‹, dann relativ schnell ›Arbeitsamt Bochum Öffnungszeiten‹ und dann etwas namens ›poolparty turns into an orgy‹.«

»Jahaha ... Ich will schwimmen gehen.«

»Sind Sie sicher, dass Sie sich das erlauben können? Ich schau mal gerade auf Ihr Konto. *(tippt)* Dachte ich es mir doch. Die letzte Einzahlung auf Ihrem Konto war vor über fünf Monaten. ›Coronasoforthilfe‹ ... 3,90 €«

»Ja, das werde ich aber zurückzahlen müssen. Ich hab keinerlei Fixkosten.«

»Das spielt keine Rolle. Sie haben Einnahmen erzielt, da werden wir Ihnen wohl das Arbeitslosengeld kürzen müssen.«

»Aber ich bekomme doch gar kein Arbeitslosengeld.«

»Was sehe ich denn hier? Eine Ausgabe auf Ihrem Konto. 980 € an www.pokemonkartensammelnonline.de?«

»Ja, ich sammle gerne Pokémonkarten.«

»Und hier noch eine Ausgabe. 300 € an REWE. Verwendungszweck: ›Für Kinder Pingui‹ ... Sagen Sie mal, wie alt sind Sie?«

»28.«

»So, so. Kann ich mal bitte Ihren Personalausweis sehen?«

»Ach, das zeigt Ihnen Ihr Computer nicht, oder was?«

»Jetzt werden Sie mal nicht frech hier! Sonst kürze ich Ihnen ratzfatz die Bezüge.«

»Ich bekomme doch gar keine Bezüge, deswegen bin ich ja hier!«

»Ich ruf jetzt den Sicherheitsdienst.«

»Na gut, hier, mein Personalausweis.«

»Geht doch. Dass man immer erst drohen muss. Hä? Das sollen Sie sein?«

»Wieso?«

»Sie sind viel fetter als auf dem Bild.«

»Das ist wegen der Kinder Pingui.«

»Aha ... Ach, ich sehe hier gerade, Sie heißen gar nicht Jan Philipp Zymny?«

»Nein, das ist nur ein Künstlername.«

»In Wahrheit heißen Sie ... Ähm ... Jan Pjotr Cymn... Cymn...«

»Cymniczk.«

»Ahhh ... Sie sprechen aber gut Deutsch.«

»Ich hab nichts anderes gelernt.«

»Ja, das sehe ich hier. *(tippt)* Oh, Sie haben Abitur?«

»Ja.«

»Was war Ihr Schnitt?«

»Ähhh ... 7.«

»7?«

»Oder vielleicht sogar 9.«

»Mhm ... Ich schreib mal ›kein Abitur‹. Und dann haben sie fünf Semester studiert, steht hier. Was haben Sie gemacht?«

»Überbacken hauptsächlich.«

»Sie haben fünf Semester Überbacken studiert?«

»Ja, Überbackungswissenschaft.«

»Welcher Abschluss?«

»Ich hab abgebrochen. Es war mir zu schwierig. Ich bin an der Béchamel gescheitert.«

»Ja, Herr Žižek, ich weiß jetzt nicht, was ich mit Ihnen machen soll. Sie haben kein abgeschlossenes Studium, keine Ausbildung, kein Abitur und so, wie Sie aussehen ...«

»Wieso? Ich seh doch ganz normal aus.«

»Ich sag ja nur.«

»Was denn?«

»Na, ich sag ja nur.«

»Aber was sagen Sie denn nur?«

»Man sieht Ihnen das ja auch an, ne?«

»Was? Worum geht's jetzt?«

»Nee ... Ist schwierig. Was hatten Sie sich denn vorgestellt?«

»Als Beruf?«

»Ja, natürlich als Beruf! Oder glauben Sie, ich frage Sie, ob Sie schon mal was vorgestellt haben?! Was für einen Beruf könnten sie sich denn vorstellen?«

»Ich kann mir vieles vorstellen. Eine Sache, die ich mir vorstellen kann, ist zum Beispiel ... Überraschungszahnarzt.«

»Überraschungszahnarzt? Wie geht das denn?«

»Danke, dass Sie fragen. Ich klingel dann bei den Leuten. Die machen auf. So:
›Guten Tag, junger Mann, was kann ich denn für Sie tun?‹
Und ich so: ›Mund auf! Ich bin der Überraschungszahnarzt.‹ – ›Aber ich hab gar keinen Termin gemacht.‹ – ›Das ist genau die richtige Einstellung.‹
Das könnte ich mir vorstellen.«

»Herr Žižek ...«

»Zymny heiß ich.«

»Herr Tschernobog. Sie sollen sich hier keine Berufe ausdenken.«

»Sie haben gefragt, was ich mir vorstellen kann.«

»Sie sollen mir sagen, in welchem Beruf Sie gerne arbeiten würden.«

»Vielleicht in der Werbung.«

»Aha?«

»Ja, ich hab immer so Ideen für Marketingaktionen.«

»Dann lassen Sie mal hören!«

»Zum Beispiel eine Marketingaktion für IKEA: ›Nur jetzt, diesen Samstag! Sie dürfen alles gratis mit nach Hause nehmen, was Sie in Ihren Mund reinkriegen!‹.«

»So wird das nichts, Herr Waffziki.«

»Ich würd vielleicht gern mit den Händen arbeiten.«

»Na also, das bringt uns doch vorwärts. *(tippt)* ... Da hätte ich tatsächlich was für Sie ... in einem Nagelstudio.«

»Nein, ich meinte mit meinen Händen. Nicht mit anderer Leute Händen.«

»Mhm, genau. Im Nagelstudio ›Kralle‹ und zwar als Abschleifer.«

»Als Abschleifer?«

»Sie müssten da die verknöcherten Fingernägel alter Damen mit der Flex abschleifen.«

»Uff!«

»Ja, das klingt unangenehm, aber dafür dürfen Sie alles gratis mit nach Hause nehmen, was Sie in Ihren Mund reinkriegen.«

»Puh!«

»Gut, dann mach ich das für Sie fertig. Sie müssen dann jeden Morgen um 5 Uhr anfangen ... Herr Schaschlik? Herr Schaschlik, wo laufen Sie denn hin?!«

Die Rachekarte

Im Supermarkt an der Kasse. Produkte laufen über den Scanner. *Biep! Biep! Biep!* Kassiererin: »Das macht 56,80 €. Haben Sie eine Payback-Karte?«

Ich: »**NEIN! NEIN, ICH HABE KEINE VERDAMMTE PAYBACK-KARTE!** Jedes Mal, wenn ich hier einkaufe, fragen Sie mich, ob ich eine Payback-Karte habe, und noch nie hatte ich eine! Seit drei Jahren komme ich zweimal die Woche her. Bei 52 Wochen im Jahr sind das … (rechnet) 312. 312 Mal haben Sie mich jetzt gefragt, ob ich eine Payback-Karte habe, und 312 Mal habe ich ›Nein‹ gesagt. Das wird sich auch nicht ändern, wenn Sie mich noch weitere 312 Mal fragen. Tatsächlich ist es so: Je öfter ich gefragt werde, ob ich eine Paypack-Karte habe, desto weniger Bock hab ich auf 'ne Payback-Karte.

Instagram zeigt mir auch schon seit Monaten eine Werbung für Notizpapier aus Steinmehl. Und ich frage Sie: Was soll das? Je öfter ich das sehe, desto weniger will ich das haben. Diese Werbung erreicht genau den gegenteiligen Effekt von dem, was sie erreichen soll! Aber bei Instagram weiß ich wenigstens, dass der Algorithmus mir die Werbung auf Basis meiner Interessen anzeigt. Hier im Supermarkt ist mir völlig schleierhaft, warum ich überhaupt gefragt werde. Ist jetzt nicht so, dass Einkaufen zu meinen Interessen gehören würde!

Oder glauben Sie, ich komme freiwillig hier her? Weil ich so gerne Cornflakes-Boxen angucke, oder was? Oder weil ich so gerne in der Gegenwart von Kühlregalen bin, weil die mich an meinen Onkel Michael erinnern ...? (Onkel Michael litt unter Blutarmut und hatte immer sehr kalte Hände, deshalb.)

Nein, ich komme nicht freiwillig in diese Verkaufshölle, wo vom Ein- bis zum Ausgang alles dafür designt ist, mich verkaufspsychologisch dahin zu manipulieren, noch mehr Scheiße zu kaufen, die ich nicht will. Wo das Licht und die Gerüche und die permanent im Hintergrund dudelnde Musik in meinem Gehirn einen ewigen Kindergeburtstag der Gewalt feiern. Und wenn ich mich nach Monaten an den ganzen Quatsch gewöhnt habe, gehen Sie her und räumen alle Regale um! Da kann ich von vorne anfangen, mich einzugewöhnen!

Nein, ich komme nicht freiwillig hierher. Ich komme hierher, weil ich muss. Da würde ich mir einfach wünschen, dass ich in Ruhe und Frieden meinen Einkauf abwickeln kann, ohne jedes Mal von derselben ergebnislosen Frage belästigt zu werden. Als ob ich in einem von Kafkas Alpträumen gefangen wäre. Ich habe keine Payback-Karte. Ich will keine Payback-Karte. Und wenn ich ehrlich bin, ich weiß nicht mal genau, was 'ne Payback-Karte eigentlich ist!

Kann ich da jetzt bei jedem Einkauf alberne Punkte sammeln, die ich am Ende gegen hirnlose Prämien eintauschen darf? Wie 'ne aufblasbare Luftpumpe oder 'n Tortenheber für Linkshänder oder Psychopharmaka, die verhindern, dass ich den Laden in die Luft sprenge?! All das, während irgendein windiger Konzern Daten über mein Kaufverhalten sammelt. Wobei – darüber darf ich mich nicht mal aufregen, denn ich benutze ja auch Instagram und Amazon und Facebook. Obwohl niemand mehr Facebook benutzt. Außer Rechtsradikale und Spinner und rechtsradikale Spinner und Muttis, von denen man hofft, dass sie es nicht besser wissen. Wenn ich mich bei Facebook einlogge, krieg ich sofort von Marc Zuckerberg 'ne persönliche Nachricht, in der er sich dafür bedankt, dass ich der letzte vernünftige Mensch auf Facebook bin ... Worüber hab ich mich nochmal aufgeregt?«

Die Verkäuferin schaut mich mit einem glasigen Blick an. Auf ihrer Brust heftet ein Schild mit der Aufschrift: Frau Koselewski. Dann bricht es aus ihr heraus:

»**Jetzt pass mal auf, du Otto!** Glaubse, ich merk mir jedes von den 2 000 Arschlöchern, die hier am Tag durchkommen? Klar, für dich bin ich die eine Olle, die immer an der Kasse sitzt, ja! Aber für mich bist du ein beliebiger Motherfucker – der ein bisschen aussieht wie Ed Sheeran – aus einer Armee von gesichtslosen Motherfuckern, die mir alle so schnell am Arsch vorbeigehen, dass ihr nicht mal merkt, dass es stinkt. Wenn ich hier abends rausgehe, hab ich vergessen, dass du jemals existiert hast. Also blas dich mal nicht so auf mit deinen spiegelverkehrten Ohren! Außerdem: Glaubse, das ist mein Hobby, dich nach deiner verfickten Payback-Karte zu fragen, oder was? Dat is Vorschrift! Ich muss das machen! Ob du, du achtes Weltwunder der Beschissenheit, 'ne Payback-Karte hast oder nicht, ist mir egaler als alles, was auf Love Island passiert. Und abschließend: Von einem Typen, der nicht mal die Eierstöcke in der Hose hat, sich in echt an der Supermarktkasse aufzuregen, sondern den ganzen Scheiß zuhause aufschreibt und das dann auf 'ner Bühne vorliest, lass ich mir schon mal gar nichts sagen. Also am besten, du hältst jetzt die Schnauze und zahlst die 56 Mark 80 – ja, ich sag immer noch Mark! Schreib doch 'nen Text drüber!«

Aus der Schlange hinter mir brandet tosender Applaus auf. Ich halte meine Schnauze und zahle, denn Frau Koselewski hat Recht.

Und nun fünf Tipps, wie du an der Kasse nicht mehr nach deiner Payback-Karte gefragt wirst! Nummer vier wird dich überraschen.

Tipp eins: Trage ein T-Shirt mit der Aufschrift »Nein, ich habe keine Payback-Karte!«. Dann muss man an der Kasse nur noch ganz einfach und sehr umständlich den Pullover ausziehen.

Tipp zwei: Gib statt einer Payback-Karte einfach eine andere Karte raus. Zum Beispiel eine selbstgebastelte Einladungskarte. »Willst du zu meinem Geburtstag kommen? Ja, Nein, Wer bist du überhaupt?«

Tipp drei: Habe folgenden Dialog an der Kasse:

»Haben Sie eine Payback-Karte?«

»Ja.«

»... Wollen Sie die auch benutzen?«

»Nein.«

Tipp vier: Wenn man einen Spritzer Zitronensaft über Guacamole gibt, wird die nicht so schnell braun.

Tipp fünf: Der Radiowecker zeigt 2:38 Uhr. Langsam beugst du dich über das schlafende Gesicht von Frau Koselewski. Und dann flüsterst du: »Haben *Sie* eine Payback-Karte?«

Neue Vita für meine Website, weil meine Agentin das so will

(In der Hoffnung dabei nicht zu sehr wie Torsten Sträter zu klingen, der ja auch eine Nummer hat, bei der er seine Vita vorliest)

Vorwort zur Vita

Eine Autorenbiografie zu schreiben, langweilt mich richtig schlimm.

Zuerst hat alles, was ich hier reinknalle, den unangenehmen Beigeschmack des Eigenlobs, denn was ist eine Autor*innenbiografie anderes als eine Liste davon, was man alles Tolles gewonnen oder veröffentlicht hat. Das ist schon unangenehm, das einfach so vorzulesen. Ich könnte dieses unangenehme Gefühl natürlich umgehen, indem ich hier nicht nur meine Erfolge auflisten, sondern auch ein paar meiner ebenso zahlreichen Misserfolge und Fehlschläge einbaue. Wir probieren das aus. Hier drei wirklich wahre Beispiele aus meinem richtig echten Leben:

2011 – Jan Philipp Zymny fällt durch die theoretische Führerscheinprüfung, weil er das Thema Anhänger »auf Lücke gelernt hat«. Wirklich passiert. Ich dachte: »Wie viele Anhängerfragen können schon drankommen?« SEHR VIELE.

2018 – Jan Philipp Zymny wird eingeladen, einem internationalen Verlag seine Buchideen vorzustellen. Keine davon wird angenommen, weil sie dem Verlag alle zu abgedreht sind. Das ist nicht mal lustig. Ich bin nur immer noch enttäuscht.

2019 – Jan Philipp Zymny schafft es, innerhalb einer Woche elf Mal Essen zu bestellen. Als der Lieferando-Fahrer ihn darauf anspricht, zieht er um. (Ich beginne gerade, zu verstehen, warum niemand sowas in seine Autorenbiografie schreibt.)

Von alledem abgesehen langweilt mich zweitens das bloße Wiedergeben meines Lebens. Eine simple Reproduktion der Wirklichkeit – wie sie auch in der Schule verlangt wird – hat mich noch nie gereizt. Ich fühlte mich schon immer eher von den überrealen Möglichkeiten für Nonsens angezogen, die beispielsweise ein leeres Blatt Papier ausstrahlt. Ich will die Wirklichkeit nicht nur wiedergeben. Ich will sie transformieren. Ich will etwas aus ihr basteln.

In der Schule bin ich für diese Vorliebe oft bestraft worden, da mir niemand glauben wollte, dass zu den Lebensgewohnheiten des Grottenolms neben dem Blindsein und der Kiemenatmung auch der Beruf des Sattlers und das Bemalen von erotischen Figürchen aus Zinn gehören.

Oder anders ausgedrückt: Es wurde schon früh versucht, meine Kreativität zu unterdrücken und meine Gedanken zu zensieren. Zum Glück konnte ich diese Angriffe abwehren, mir meine Kunst bewahren, und bin, bis auf den an meinem Selbstwertgefühl, ohne Schaden daraus hervorgegangen.

Zusammenfassend lässt sich also sagen: Wenn ich hier lustigen Nonsens über mein Leben erfinde, charakterisiert das mich und meine Kunst viel mehr als alles, was tatsächlich in meiner Kindheit passiert ist, welche Preise mir verliehen wurden oder welche Studiengänge ich abgebrochen habe. Beginnen wir also mit meiner …

Vita

Die Geschichte meiner Geburt beginnt lange vor meiner Geburt.

Denn obwohl es aus meiner Perspektive unumstößlich zu sein scheint, dass das Universum spontan ist: Als ich im Alter von etwa zwei Jahren sehr doll ein Brötchen wollte, so wurde mir vom Finanzamt meiner Heimatstadt Bochum glaubhaft versichert, dass das Universum auch schon vorher existiert hat und zwar aus steuerrechtlichen Gründen. Wer also jemals von einer existenziellen Krise geplagt wird, wende sich an die zuständigen Behörden. Wobei … eigentlich lieber nicht, denn seien wir ehrlich: Ein Behördengang ist lang, doch der Weg in die Suizidalität ist kurz.

Die Geschichte meiner Geburt beginnt am Neujahrstag anno 1993. Schnee war in der Nacht gefallen, als erschröckliche Ereignisse den Abt des Franziskanerklosters Wuppertal-Oberbarmen aus dem Bett trieben und die Mönche in helle Panik verfallen ließ. Seit den frühen Morgenstunden weinte eine der Marienstatuen Blut. Im Katechismus der katholischen Kirche gilt das Weinen von Blut bei Marienstatuen als sogenanntes »böses Juju«.

Abt Sascha hatte sich einen Weg durch die Menge der Geistlichen bahnen müssen. Zu ihren Füßen lag ein ohnmächtiger Novize, dessen Hände voll waren mit dem wundersamen Blut.

»Telegrafiert sofort nach Rom!«, sprach Abt Sascha und beugte sich dann zu dem jungen Mann herunter.

Es war Bruder Fabian, erst seit drei Monaten im Kloster. Er hatte das böse Omen entdeckt und in seiner tiefen

Verwunderung das Blut berührt. Jetzt war er ohnmächtig, aschfahl, kalt und Schaum stand ihm auf den Lippen. Sanft strich ihm der Abt über das Haupt. Plötzlich schlug der Novize die Augen auf und sprach:

»Es wird ein Kind kommen ohne Vokale im Nachnamen. Geboren soll es sein am neunundsechzigsten Tag des Jahres. Ihr sollt es erkennen an seiner Zahl – peace out!«

Dann verstarb Bruder Fabian.

In den darauffolgenden Wochen wurde unter den Mönchen heftig diskutiert, wie man nun verfahren solle, während sich die dunklen Vorzeichen häuften. Vögel fielen tot vom Himmel. Die Wupper färbte sich rot. Und »All That She Wants« von Ace of Base stieg auf Platz eins der Charts.

Und dann, am 09.03.1993 um 09:03 Uhr am Morgen, wurden im St. Satan Krankenhaus von Wuppertal-Oberbarmen zwei Kinder geboren. Das erste trug den Namen Krk. Und das zweite trug den Namen Pandämonium Teufelsknilch. Kurz waren die Franziskaner verwirrt, auf welches der Kinder die Prophezeiung zutreffen mochte. Nach einigem Hin und Her entschieden sie sich dann aber, die kleine Krk zu entführen, um so das vorhergesagte Schicksal abzuwenden.

Sie erzogen die kleine Krk im Glauben an den Herrn Jesus Christus, unterrichteten sie im Nahkampf und gaben ihr den Namen Xena, die Kriegerprinzessin. Ab ihrem 18. Geburtstag sollte sie in Wuppertal gegen die Armeen der Finsternis kämpfen – also gegen die Einwohner*innen.

Doch die Mönche hatten sich geirrt. Nicht die kleine Krk war gemeint gewesen und schon gar nicht Pandämonium Teufelsknilch, sondern ich – Jan Philipp Zymny!

Aber ich bin nicht in einem Krankenhaus geboren worden, wie die Mönche fälschlicherweise angenommen hatten. Meine Eltern fanden mich in einer Pampelmuse. Daher hielt ich mich bis zum Alter von vier Jahren für eine Zitrusfrucht.

2000 – mit sieben Jahren brachte ich mir selbst bei, zu schweben, gewöhnte es mir aber wieder ab, da es die Erwachsenen verunsicherte und uns die Einreise in die USA erschwerte. So kurz vor dem 11. September verstand man dort keinen Spaß.

Davon abgesehen war meine Schulzeit eine glückliche. Vor allem, weil ich nicht zur Schule ging. Leider hatten meine Eltern versäumt, mir vor der Einschulung das Lesen beizubringen. So konnte ich das Schild mit der Aufschrift »Grundschule« nicht entziffern und lief daran vorbei. Stattdessen besuchte ich jahrelang die benachbarte Justizvollzugsanstalt.

Innerhalb kürzester Zeit lernte ich dort alles, was ich für mein Leben jemals brauchen sollte. Ich lernte, wie man aus Alltagsgegenständen ein Knastmesser anfertigt, z. B. aus Löffeln, Brillen, Unterhosen oder Marmelade. Ich lernte, wie man mit Rauschgift handelt. Und ich lernte, wie man sich in hermetisch abgeschlossenen Gruppen Respekt verschafft. Dazu muss man zum Größten und Stärksten der Gruppe hingehen und dem dann kommentarlos und ohne Vorwarnung eins auf die Fresse geben. So kam es, dass ich, als ich in der Comedy-Szene Fuß fassen wollte, Torsten Sträter übel verdrosch. Heute können wir aber darüber lachen – er weiß ja, was ihm sonst blüht.

Erstaunlicherweise hatte ich es als Sechsjähriger schwer, im Gefängnis echte Freunde zu finden. Ich hatte das Gefühl, dass die meisten mich dort nicht ernst nahmen, vermutlich, weil ich der Kleinste war. Das löste in mir den dringenden Wunsch nach Anerkennung aus. Ich wollte unbedingt dazugehören.

Erst nach drei Jahren in der JVA fand ich einen Freund. Sein Name war Hans-Jürgen Gewalt und er war ein übler Schläger. Sie nannten ihn dort *den Beerdiger*, da er früher Bestatter gewesen war. Im Grunde seines Herzens war der Hans-Jürgen ein lieber Kerl. Er war nur leider während seiner Ausbildung zum Bestatter auf die schiefe Bahn geraten, als er mal im Affekt jemanden beerdigt hatte. Abgesehen davon ging er eigentlich klar.

To be continued …

Nachwort zur Vita

Mir ist bewusst, dass der Text nicht nur sehr abrupt, sondern auch sehr unvollständig endet. Die Wahrheit ist, dass ich bis heute prokrastiniere, ihn fertig zu schreiben. Und *das* charakterisiert mich wohl am allermeisten.

AUTOCOMPLETED SHENANIGANS

In letzter Zeit ist AI oder KI der heiße Trend. KI, die Bilder malen und Texte schreiben. Ich habe leider keinen Zugang zu diesen KI. Mir steht nur deren dummer kleiner Bruder zur Verfügung und das ist die Predictive-Text-Funktion (oder auch: Texterkennung) auf dem Smartphone. Aber das ist für meine Zwecke wahrscheinlich vollkommen ausreichend.

Ein sehr kluger Mensch im Internet ist nämlich vor geraumer Zeit hergegangen und hat eine solche Predictive-Text-Funktion mit allen Harry-Potter-Büchern trainiert, um dann aus den generierten Wortvorschlägen ein neues Harry-Potter-Buch zu basteln. Da kommt natürlich ein herrlicher surrealer Nonsens bei heraus, den ich mir keinesfalls entgehen lassen kann. Was jener Mensch gebastelt hat, trägt den Titel: »Harry Potter und das Portrait von etwas, das aussah wie ein großer Haufen Asche«. Das ist sehr lustig. Man findet sowohl den Text online als auch Videos von Leuten, die ihn vorlesen. Große Empfehlung.

Als Nächstes hat eine deutsche YouTuberin namens Coldmirror, die ich sehr verehre, das Ganze auf Deutsch mit den einzelnen Bänden gemacht. Dazu reicht sie wunderbare Animationen. Es ist schreiend komisch. Wenn Sie das noch nicht kennen, schauen Sie es sich unbedingt an. Wenn Sie das schon kennen, schauen Sie es nochmal an.

Einfach bei YouTube »Coldmirror Harry Potter Satzvervollständigung« eingeben, dann finden Sie das. (Fühlt sich gerade ein bisschen seltsam an, in einem Buch die Menschen an YouTube zu verweisen. Was soll's.)

Doch dann hat die Menschheit sich diese großartige Idee einfallen lassen. Woraufhin ich gedacht habe: »Warum? Man kann doch noch so viele andere Bücher neben Harry Potter dort hineinladen!«

Und da nahm ich die Bibel. Genauer gesagt: das neue Testament. Denn ich wollte coole neue Abenteuer von Jesus haben. Da ist lange nichts passiert und ich dachte, ich könne vielleicht helfen. Jesus ist schließlich auch mein Lieblingssuperheld. Gut, er kam in den Marvel-Filmen etwas zu kurz, aber das kann ich nachvollziehen. Jesus' Superkräfte sind nicht battle ready. Da gibt es andere, die haben für den Kampf wertvollere Kräfte. Der Hulk ist groß und grün und smasht alles kaputt. Black Widow ist eine Super-Assassinen-Soldatinnen-Geheimagentin und kann Kung Fu. Jesus läuft übers Schlachtfeld und ruft: »Ich hab 10 000 Fische.«

Jesus kann Fische und Brot vervielfältigen, Wasser zu Wein machen und übers Wasser gehen. Er ist eher eine Art Catering-Service. Im Krieg ist er die Versorgungslinie.

Jedenfalls habe ich die Predictive-Text-Funktion mit dem neuen Testament trainiert und dadurch ein noch neueres Testament konstruiert. Hier ein Auszug.

Das nächste Testament

Und der Herr Jesus sprach: »18, 9, 44, 37, 12, 4 – oder wie viele Brote habt ihr mir gegeben?«

Die Jünger aber deuteten auf ein Kind und sprachen: »Herr, wir haben dir von ihm erzählt. Er ist tot. Denn er ging hinaus in die Wüste und wurde dort von Geistern viertausend Mal erniedrigt.«[1]

Daraufhin bildete sich Aussatz auf dem Sohn Gottes und glückselig beteten die Jünger. Markus nicht. Er ging hinein und setzte sich auf einen Gelähmten. »Der wird zerschmettert!«, sprach er und zerrte an dem Gelähmten.

Da trat Petrus in das Haus. Er reinigte Markus an den Füßen und sprach zu ihm: »Warum hast du zwei Hände? Und trotzdem nicht zwei Talente? Dein Leben führt in den Abort.«

Als der Herr Jesus das hörte, ermahnte ER Petrus und sprach in sein Angesicht: »Wer Ohren hat, aber keine Nachkommen, der wird gerettet werden. In meinem Schiff.«

Unterdessen hatte sich vor dem Haus eine Volksmenge versammelt. Sie zogen ihren Kranken auf einer törichten, schwangeren Eselin hinter sich her. Ihr Sauerteig war verhärtet und sie gerieten in große Furcht und riefen: »Meister, man hätte EUCH nicht wegen Unzucht ins Gefängnis geworfen, wenn IHR nicht plappern würdet.«[2]

1 Anmerkung des Autors: Da wäre ich auch tot.

2 Anmerkung des Autors: Damals wie heute eine der wichtigsten Lektionen der Bibel: Snitches get stitches.

Da flohen Jesus und die Jünger. Das tote Kind warfen sie in eine Grube und den Gelähmten in den Feuerofen, denn so konnten Sie nicht verklagt werden. Nach drei Tagen aber hatten sie vergessen und Jesus sprach zu ihnen: »Siehe, so soll das Evangelium verkündigt werden.«

Doch da sie vergessen hatten, fragten sie: »Was? Wie? Meister, wovon sprichst du?«

Und ER antwortete ihnen: »Ich weiß es nicht. Wie viele Brote habt ihr mir gegeben?«

AMEN![3]

3 Anmerkung des Autors: Eigentlich vom Original kaum zu unterscheiden. Verblüffend, wozu Technik heutzutage in der Lage ist.

AUTOCOMPLETED SHENANIGANS II

Ich habe das Gleiche mit erotischen Kurzgeschichten gemacht, die ich aus dem Internet zusammengeräubert habe. Von so Seiten. Sie wissen schon. Auf denen sich Leute sehr lange und leidenschaftlich umarmen. Mir hat es dann viel Spaß gemacht, die Geschichte extra so zu bauen, dass es nicht um Sex geht, das war an einigen Stellen wirklich schwierig. Stattdessen wird eine Art Zaubershow aufgeführt.

Plötzlich stöhnte er in ihre Hose

Sie starrten sich in die Augen seit mittlerweile 20 Jahren. Lisas Blick wanderte zwischen ihren Fingern und seinem Kopf hin und her. Sie murmelte etwas, dann zog sie ihren Slip aus seinem Ohr.

»Überraschung!«, brüllte sie.

Er grinste und klatschte ihr.

»Was für eine geile Vorstellung!«

Sie blickte ihm nun direkt auf den Ladebalken.[4]

»Was?«, fragte er zögernd.

»Schau in deine Bluejeans«, erwiderte sie.

Gespannt schüttelte er die Hüften, bis seine Hose auf dem Boden lag. »Mein Gott!«, krächzte er: »Mein Hintern ist weg! Du bist so gut!« Frech nahm er ihren Kopf in seine Mundhöhle und flüsterte in ihre Mundhöhle: »Ich will noch mehr von deinen kleinen Tricks.«

Lisa stöhnte auf, aber es war nur gespielt. Eigentlich hatte sie ja Lust darauf, ihn mit ihren Tricks zu verwöhnen. Also riss sie ihre Hände in die Sonne, während sie die Augen schloss, und ließ dann einen wahnsinnigen Schrei aus ihrem Poloch.[5]

Schließlich packte sie einen Klappstuhl, hob ihn in die Luft und sagte: »Schwupps!«

Darunter kam eine Eichel zum Vorschein.

---

4 Anmerkung des Autors: Das ist die albernste Penis-Metapher, die ich je gesehen habe.

5 Anmerkung des Autors: Ich sag's, wie es ist. Für meinen Geschmack zaubert die mit dem falschen Körperende.

»Ach, da ist die! Ich hab die hier schon überall gesucht!«, rief er erleichtert.

Unterdessen schob Lisa die Eichel vorsichtig unter einen anderen Klappstuhl.

»Wo wird sie als Nächstes sein?«, fragte sie, während sie die Stühle immer wieder miteinander vertauschte.

Jetzt spielten sie um Geld. Plötzlich war der Raum prall voll mit 217 Seeleuten, die alle Hüftjeans trugen und Wetten abschließen wollten. Er verlor das Interesse. Sein Blick wanderte ziellos durch die Hintertür. Draußen herumlungerte ihr Freund Professor Bergmann. Professor Bergmann stand da und wartete darauf, dass ein Job als Professor frei wurde. Er fragte sich, wie geil Gartenpartys sind.

»Schon ziemlich geil«, dachte er, dann riss ihn etwas derartig aus seinen Gedanken, dass er vollständig in einem Sideboard verschwand. Es war Lisa.

»Wie heißt du eigentlich?«, fragte sie.

»Stiefeltyp«, sagte Stiefeltyp und kam aus dem Sideboard herausgeschossen.

»Freut mich, Stiefeltyp. Ich bin Lisa.« Sie kicherte und drückte sich dann an sich selbst.

Stiefeltyp ließ es geschehen. Er war eben eher so der Stiefeltyp. Danach gingen sie in die Küche und er sah Lisa gierig dabei zu, wie sie Fleisch knetete.

»Hmmm, lecker Frikadellen mit Happy End.«

Happy End.

Texte aus »Quantenheilung durch Stand Up Comedy«

Der Motor ist komplett biberfrei

»Passen Sie auf, Herr Zymny, ich zeig Ihnen mal ein Schätzchen – nur so als Vergleich –, da wird Ihnen einer abgehen«, behauptet der Gebrauchtwagenhändler und schubst mich in Richtung eines Autos, das so flach und tiefliegend ist, dass es unter einem Türspalt durchfahren könnte.

»Hach, Herr Zymny, das ist der neue Roadmaster Sportswrumm von Fjordtsubishi. Das gute Stück beschleunigt von 0 auf 100 in 3,4 Sekunden.«

Erstaunlicherweise geht mir keiner ab. Meine Hose bleibt völlig trocken. Ich interessiere mich nämlich nicht für Autos und verstehe auch nichts von ihnen. Mein Kompetenzniveau liegt im Bereich *Ich kann die Motorhaube öffnen und dann feststellen: »In diesem Motor wohnt kein Biber.«* Man erkennt das an der fehlenden Dammbildung. Trotzdem versuche ich, Ahnung vorzutäuschen, denn erstens will ich nicht übers Ohr gehauen werden und zweitens ist es mir aus irgendeinem unerklärlichen Grund wichtig, dass der Autoverkäufer denkt, ich würde mich auskennen. Also bluffe ich.

»Oh, von 0 auf 100 in 3,4 Sekunden? Das ist … schnell?«

»Ja, das ist schnell«, bestätigt er.

Ha! Richtig geblufft.

»Aber heutzutage ist das alles möglich. Mittlerweile gibt es Modelle, die sind auf über 100 km/h, noch bevor

Sie den Zündschlüssel ins Schloss gesteckt haben. Die haben nämlich Keyless Start.«

Der Verkäufer lacht schallend über seinen eigenen Witz. Seine Zähne – fällt mir dabei auf – sind sehr weiß. Ich stelle mir vor, wie er jeden Morgen vor dem Badezimmerspiegel steht und sie mit Tipp-Ex anmalt. Dann lächelt er sich selbst gewinnend zu, zwinkert und flüstert in den Spiegel: »Zeig's ihnen, Tiger.«

Da muss ich auch lachen, was der Autoverkäufer leider als Zuspruch aufnimmt.

»Diese Karre hat so viel Hubraum, es müsste eigentlich Hubwohnung heißen. Oder Hubhaus! Oder Hubwolkenkratzer!«

Es wird dringend Zeit, das Gespräch in eine produktive Richtung zu lenken, denn eigentlich bin ich wegen eines ganz anderen Wagens da. Ich hatte mir vorher online ein paar Kombis angeschaut. Die bieten schön viel Stauraum, sodass man sie mit Merchandise beladen kann, um den dann bei seinen Soloshows zu verkaufen.

WWW.ZYMNY.TV/KAUFKRAM

»Also eigentlich interessiere ich mich eher für einen Kombi«, erinnere ich den Mann. »Vielleicht einen BMVW Passatbel oder doch den Skopel Vernunfto.«

»Ja ja, da kommen wir ja gleich zu, aber dieses Schätzchen hier hat über 650 PS. Wenn Sie damit vorfahren, werden sich alle Frauen nach Ihnen umdrehen«, behauptet der Gebrauchtwagenhändler und stößt mir mit dem Ellenbogen in die Rippen.

Ah ja. Das ist eine Sache, die ich noch nie verstanden habe. In der Welt heterosexueller Cis-Männer herrscht das stereotype Vorurteil, dass Frauen sich nicht für Autos interessieren. Trotzdem ist es zwingend erforderlich, sie mit Autos zu beeindrucken. Was in etwa so erfolgversprechend ist, als würde man jemandem, dem frisch beide Beine amputiert wurden, zur Aufmunterung ein schönes Paar Rollschuhe schenken. Zum Glück ist die Wirklichkeit dann doch bunter, komplexer und schöner, als uns das Patriarchat das glauben machen will.

Aber das bringt mich auf eine Idee, wie ich uns doch endlich zu den Kombis bugsiert bekomme. Vielleicht muss ich einfach die Sprache des Verkäufers sprechen. »Haha! Turbolader!«, rufe ich. »Genau wie meine Schwiegermutter beim Essen!«

Ich lache krachend über meinen eigenen – ich zögere, es Witz zu nennen – Witz. Der Händler schaut irritiert, doch ich knuffe ihm in den Oberarm, täusche in Zeitlupe einen Leberhaken an, schaue ihm tief in die Augen und flüstere: »Bro.«

3,4 Sekunden später stehen wir vor einem Skopel Vernunfto.

»Das ist jetzt halt so 'ne Familienkutsche, ne?«, meint der Autoverkäufer und wirkt irgendwie enttäuscht.

Für mich heißt es jetzt ruhig bleiben und Kompetenz simulieren. Also aufrecht stehen, Stimme senken und mit Überzeugung sprechen. Aber dazu komme ich gar nicht, vorher macht der Mann nämlich weiter: »Spitzengeschwindigkeit schafft der Vernunfto mit den Reifen halt auch nur 180 km/h.«

Ich unterbreche ihn sofort.

»Ach, da bringen wir einfach noch zwei Reifen an, dann geht der bis 270 rauf.«

»Was?«

Scheiße. Hab ich mich verrechnet? 180 durch 4 ist 45. 45 mal 6 … Nee, ist richtig.

»Ja, klar!«, beharre ich, »je mehr Räder desto mehr … Fahrt … pro Straße. Das ergibt Geschwindigkeit. Das weiß man doch.« Zur Bekräftigung meiner Worte rülpse ich herzhaft.

Der Gebrauchtwagenhändler schaut irritiert. »Wo wollen Sie denn da noch mehr Räder anbringen? Der hat doch nur zwei Achsen.«

»Och, die Räder legen wir in den Kofferraum. Die Achse packen wir dazu. Das geht schon. Deswegen will ich ja einen Kombi. Der hat schön viel Stauraum.« Ich klopfe ihm auf die Schulter und irgendwas blitzt in seinen Augen.

»Also ich sage Ihnen das direkt und ganz ehrlich – eine zusätzliche Achse im Kofferraum anzubringen, kostet extra. Für eine ordentliche Kofferraumverachsung liegen wir bei 200 €.«

»Puh! 200 €? Für eine einfache Kofferraumverachsung? Das ist aber ganz schön happig.«

»Ja, passen Sie auf, weil Sie es sind, Herr Zymny, sagen wir 100 €.«

Nach außen bleibe ich natürlich cool und nicke lässig, aber innerlich denke ich: »Holy Shit! 100 € gespart! Mal schauen, was ich noch aus ihm rausleiern kann!«

»Schön, schön. Hat er denn auch ein Navi?«

Der Verkäufer schweigt erst eine kleine Weile und gesteht dann: »Das weiß ich jetzt gar nicht, ob das in der Ausstattung mit dabei ist. Aber warten Sie kurz. Ich schau mal auf unserer Website nach. Da ist der Wagen ja mit allen Extras aufgeführt.«

Kurzerhand holt er sein Handy raus und senkt den Blick, legt es aber schon nach zwei Handgriffen wieder beiseite.

»Entschuldigen Sie, der Akku ist leer. Aber ich sage Ihnen was, wir schauen einfach im Auto nach, dann können wir auch direkt mal 'ne Runde drehen. So probefahrtmäßig.«

»Gerne«, entgegne ich: »Aber vorher würde ich noch einen Blick auf den Motor werfen wollen.«

»Natürlich. Ich löse Ihnen die Verriegelung und schau schon mal nach dem Navi.«

Er steigt ein und wenig später macht es vorne am Wagen ein klickendes Geräusch. Vorsichtig hebe ich die Haube an, wodurch sich etwas enthüllt, was der Motor sein muss. Sofort legt sich der stumpfe Film brachialen Desinteresses über meine Augen, doch ich erkenne, was ich erkennen muss.

»Komplett biberfrei.«

»Was haben Sie gesagt?«

»Nix. Wie sieht es mit dem Navi aus?«

»Hatta.«

Keine fünf Minuten später brausen wir mit offenen Fenstern durch die ländlichen Bereiche des Ruhrgebiets. Aus dem Autoradio dröhnt Shakira, deren Hüften auch nach all den Jahren immer noch nicht lügen können. Der Gebrauchtwagenhändler und ich sind beste Freunde. Ich darf ihn Händli nennen.

Anmerkung des Lektorats: Entschuldigung, also bitte, das klingt vollkommen unglaubwürdig. Wir haben Jan Philipp gebeten, sich eine realistischere Formulierung zu überlegen.

Zehn Minuten später traue ich mich immer noch nicht vom Hof des Gebrauchtwagenhändlers, weil ein konstanter Strom aus Fahrzeugen das Einbiegen auf die Straße verhindert. Das letzte Mal, dass ich selbst Auto gefahren bin, ist einige Jahre her. Soll der Verkäufer aber nicht wissen. Dummerweise habe ich nicht bedacht, dass Autofahren, dabei dem Verkaufsgespräch folgen, gleichzeitig so tun, als ob ich Ahnung hätte, und währenddessen seine verurteilenden Blicke ignorieren, also alles zusammen, mein Gehirn vollkommen überlastet. Ich werde nervös und komme nicht vom Fleck.

»Jetzt fahren Sie doch. Der da wird sogar extra für Sie langsamer, um Sie rauszulassen.«

»Aber der hat doch Vorfahrt.«

»Meine Güte, fahren Sie schon!«

Der Beifahrer rutscht ungeduldig auf seinem Sitz hin und her.

»Na schön, wenn Sie meinen.«

Ich schlage das Lenkrad nach links ein, gebe Gas und kreuze die Fahrbahn. Damit hat der angebliche Rauslasser nicht gerechnet. Der steigt voll in die Eisen. Dies wiederum nimmt der Verkäufer zum Anlass, sein Fenster zu öffnen und dem angeblichen Rauslasser eine krude Theorie zur menschlichen Eigenbefruchtung nahezulegen. Ich bin kein Biologe, aber sogar ich weiß, das kann nicht funktionieren.

An dieser Stelle berühren wir eine weitere Sache, die ich noch nie verstanden habe: Manche Menschen kriegen es anscheinend ohne das kleinste bisschen Rumpeln und Poltern im Gehirn hin, stabil im Unrecht und gleichzeitig felsenfest davon überzeugt zu sein, der Fehler läge beim Gegenüber. Es mag mir an Selbstbewusstsein mangeln, aber ein gesundes Selbstbewusstsein scheint in einigen Fällen mit dem Verlust der Verbindung zur Realität einherzugehen ... Ich möchte Anzeige erstatten, Frau Wachtmeisterin. Dieser Herr hat sein Nasenbein gegen meine Faust geschmettert. Jetzt sind meine Finger verstaucht. Das ist Körperverletzung!

Während ich mich noch wundere, richtet sich der Unmut des Händlers allerdings plötzlich gegen mich: »Sagen Sie, fahren Sie heute zum ersten Mal, oder was?!«

»Nein. Hahaha! Nein!«, lache ich hysterisch. Er darf nicht wissen, dass er im Prinzip recht hat. Was fällt mir auch ein, mein Nasenbein gegen seine Faust zu schmettern? »Ich fahre jeden Tag zehntausende Kilometer. Ich bin Pendler. Ich arbeite in Venezuela.«

»Ach, das ist ja ein Zufall. Der Wagen kommt auch aus Venezuela.«

Erst denke ich, dass er einen Witz macht, aber ein Blick auf den Tacho … Nee. Kommt hin.

Unterdessen biege ich in ein kleines Wohngebiet ein. Ein malerisches Bächlein schlängelt sich zwischen ein paar der Häuser hindurch. Zone 30. Entsprechend gehe ich vom Gas. Die verminderte Geschwindigkeit an sich lässt den Verkäufer schon zappelig werden, aber richtig los geht sein Sitz-Boogie-Woogie erst, als vor uns eine Oma auf einem E-Scooter auftaucht. Aus ihrer Perspektive muss sie sich mit Warp-Geschwindigkeit bewegen. Aus unserer hingegen fährt sie 10 km/h. Ob Einstein *das* mit Relativität gemeint hat? Weil aber rechts und links die parkenden Autos zu dicht stehen, komme ich nicht vorbei und werde noch langsamer.

»Mann, Mann, Mann! Jetzt fahren Sie doch vorbei! So 'ne Probefahrt muss irgendwann auch mal fertig sein!«

»Ohne Flachs, wie soll das gehen?«

»Schubsen Sie die Alte einfach zur Seite!«

»Nein!« Langsam verliere ich den Humor, der in unserer Interaktion eh nicht sonderlich präsent war.

»Boah, wenn man so alt ist, sollte man den Führerschein abgeben.«

»Ich glaube, für 'nen E-Scooter braucht man keinen Führerschein.«

»Wenn man 'ne Frau ist, schon.«

Ich halte eine Notbremsung für angebracht. Dann schau ich dem Verkäufer direkt in die Augen: »Es reicht. Ich kauf das Auto, aber dich kutschiere ich keinen Meter weiter durch die Gegend.«

Der Gebrauchtwagenhändler verzieht keine Miene. Eine Weile lang starren wir uns nur an wie in einem Western bei High Noon. Dann zieht er zuerst und zwar sein Handy aus der Hosentasche.

»Oh, ein Anruf«, sagt er tonlos.

»Mhm. Hat gar nicht geklingelt, ne?«

»Muss wohl auf Vibration gestellt gewesen sein.«

Er hebt den kalten Glasbarren ans Ohr.

»Ja? ... Ach, Sie sind's. Mhm. Ja, das geht. Ist noch zu haben. Mhm. Ja. ... Klar, mach ich Ihnen fertig. Schönen Dank ... Nee, kein Problem ... Ja, tschüss! Also ...«, er stopft das Telefon zurück in die Hosentasche, »es gibt noch andere Interessenten für den Wagen. Die würden den auch nehmen und haben 500 mehr geboten.«

Genau sowas hatte ich befürchtet. Jetzt heißt es wieder: cool bleiben.

»600. Plus 100 für die zusätzliche Kofferraumverachsung«, erwidere ich.

»Die was? ... Ach so! Die Kofferraumverachsung, natürlich!«

Wir steigen aus. Ich halte ihm die Fahrer*innentür auf. Er steigt ein. Romms! Klappe zu, Affe nicht tot.

In 3,4 Sekunden beschleunigt der Mann ohne mich auf 100 km/h in der 30er Zone. Plötzlich bewegt sich etwas in meinem peripheren Sichtfeld. Es ist die Oma auf dem E-Scooter. Sie brettert aus einer Nebenstraße von rechts auf den Autoverkäufer zu. Der sieht sie zu spät, reißt das Lenkrad rum und landet unsanft in dem kleinen Bächlein.

Als ich nähertrete, erkenne ich zwei Dinge. Erstens: Der Typ scheint okay zu sein, der Airbag hat das Schlimmste verhindert. Zweitens: Die Motorhaube fehlt, stattdessen sitzt dort ein Nagetier. Ich beuge mich in die Fahrer*innenkabine und mit einem Selbstbewusstsein, das ich bis dahin nicht hatte, sage ich: »Ich hab mich doch gegen den Wagen entschieden. Der Motor ist mir nicht biberfrei genug.«

Meine Oma hat mich angelogen – ein Text in fünf Posts

Geschrieben live auf Instagram in den Kommentaren eines Fotos von mir mit Kartoffelsalat

Post eins

Einen Betrug kosmischen Ausmaßes, der das Gefüge von dem erschüttert, was ich jahrzehntelang naiverweise für die Wirklichkeit hielt, muss man auch erst mal hinbekommen ... mit Kartoffelsalat.

Natürlich hat ein Gemisch aus Kartoffeln und Mayonnaise mit Salat in etwa so viel zu tun wie ein Klotz Opium mit einer Möhre. Trotzdem ist für mich wie für euch Omas Kartoffelsalat ein Grundpfeiler des Lebens wie Wasserstoff, Sauerstoff und An-einem-Wochenende-alle-Herr-der-Ringe-Filme-in-der-Extended-Version-gucken-Stoff. Es macht auch jede einzelne Oma unumstritten den besten Kartoffelsalat der Welt. Völlig egal, was die individuellen Zutaten sind, ob Majorannaise oder Essig und Öl. Völlig egal, wer die individuelle Oma ist, ob meine oder deine. Das Universum macht hier eine seltene quantenmechanische Ausnahme, damit für uns alle gleichzeitig der Kartoffelsalat unserer eigenen Oma der beste Kartoffelsalat der Welt sein kann.

Klar, dass ich meine Oma um ihr Rezept bat, als ich damals von Wuppertal nach Bochum zog. Ich wollte ihr nacheifern und selbst einen Kartoffelsalat zubereiten können, der einer Oma würdig ist, um so eines Tages vielleicht selbst eine Oma werden zu können. Denn Oma ... das ist ein Seinszustand wie Zufriedenheit oder Nirvana.

Ich erinnere mich genau, dass mir unter dem Schwur absoluter Geheimhaltung von meiner Oma enthüllt wurde, dass es für die Mahjongnäse unbedingt Miracel Whip sein müsse. Das soll hier keine Werbung sein. Das ist halt das, was mir gesagt wurde. Gesegnet mit diesem Wissen habe ich lange Jahre Kartoffelsalat zubereitet, nur um immer wieder festzustellen: Er schmeckt nicht wie bei Oma.

Gut, dachte ich, das ist eben auch ein Naturgesetz. $E = mc^2$, $F = m \cdot a$ und »Kartoffelsalat, Frikadellen und selbst Leitungswasser oder Luft schmecken bei dir nie so gut wie bei Oma«.

Doch dann eröffnete mir ein Familienmitglied, das aus Personenschutzgründen ungenannt bleiben muss, dass die Sache mit Miracel Whip überhaupt nicht stimme. Oma mache die Mayornäse selbst. Damals habe ich mich noch gefragt, wie groß der Unterschied denn schon sein könne. Nun, heute habe ich die Portmonnäse selbst gemacht ... UND JETZT SCHMECKT MEIN KARTOFFELSALAT GENAU WIE BEI OMA!

Ich habe angefangen, unkontrolliert zu weinen. Der Himmel tat sich auf. Engelschöre erklangen. Jesus selbst stieg herab, leckte mir die Tränen aus dem Gesicht und sprach: »Post eins von fünf – Fortsetzung in den Kommentaren.«

Post zwei

Ich flüsterte: »Was soll das bedeuten, Jesus, ›Post eins von fünf – Fortsetzung in den Kommentaren‹?«

Und der Sohn Gottes antwortete: »Das, mein Kind, bedeutet, dass dieser Kartoffelsalat genauso schmeckt wie der von deiner Oma.«

Dann stieg ER in seinen Ford Focus und fuhr davon. Denn siehe, er hatte noch Termine. Sofort befiel mich das unbändige Bedürfnis, meine Schwester anzurufen, um ihr alles zu erzählen. Leider hat mir aber das Zeugenschutzprogramm immer noch nicht ihre Nummer rausgegeben. Angeblich stelle ich ein Sicherheitsrisiko dar. Was auch immer das heißen soll.

Es bleibt mir also nur, euch – den guten Leuten auf Instagram, bei meinen Solo-Shows und den geschätzten Leser*innen dieses Buches – davon zu berichten, dass ich den Code für Omas Kartoffelsalat geknackt habe. Doch hier kommt der Betrug wieder ins Spiel. Warum hatte meine Oma mich angelogen?

Post drei

Ich unternahm eine lange Reise. Die Frage, warum meine Oma mich bezüglich der Zutaten ihres Kartoffelsalates angelogen hatte, erforderte Abstand von meiner derzeitigen Lebenssituation. Warum sollte man wegen einer so wichtigen, das Fundament der Wirklichkeit betreffenden Sache lügen? Das ist ja, als würde man behaupten, man wäre Jesus begegnet und dann wäre der in seinem Ford Focus weggefahren. Wer macht sowas?

Meine Suche nach Antworten führte mich zu anderen Kulturen. Auch dort gab es Omas. Verehrte Menschen, die geheime, uralte, köstliche Rezepte hüteten. Und es gab

Enkelkinder, die diese Rezepte zu imitieren versuchten. Da war Hideo, der vergeblich versuchte, die Udon-Nudeln seiner Oma nachzukochen. Da war Djamila, der der Matooke ihrer Großmutter nicht so recht gelingen wollte. Da war Donald, der den BigMac seiner Grandma nicht hinbekam. Das Fundamentale, der Grundpfeiler des Lebens, erkannte ich, war nicht der Kartoffelsalat, sondern das Prinzip von Omas, die meisterhaftes Essen zubereiten, und Enkelkindern, die es unerfolgreich kopieren. Ein Naturphänomen, das sich wohl seit Beginn der Menschheit durch die Generationen manifestiert. Mir wurde klar, dass die Antwort folglich nicht bei den Menschen zu finden sei, sondern in der Natur selbst.

Post vier

Ich poste diese Zeilen aus einer Höhle in der Nähe von Sils Maria in den Alpen. Ich hoffe, dass sie euch erreichen, denn mein Handy zeigt hier oben statt den Empfangsbalken nur einen traurigen Smiley an. Daneben steht -9G.

Seit meinem letzten Kommentar habe ich elf Jahre meditiert. Nach etwa fünf Jahren wurde ich erleuchtet. Danach hat es nochmal vier Jahre gedauert, meinen Geist zu entleuchten, damit ich mich wieder auf meine Frage konzentrieren konnte.

So war ich erst in meinem vorletzten Jahr bereit, die Augen aufzuschlagen und die Natur vollumfänglich in mich aufzunehmen. Ich sah den Aufstieg und Untergang der Sonne. Ich sah den Wechsel der Jahreszeiten im Gebirge. Ich sah, wie ein Steinadlerpaar in meinem Schoß ein Nest baute. Es dauerte gar nicht lange, da schlüpften drei Steinadlerküken. Ich nannte sie Joe, Löwe und Frances Houseman. Schnell wuchsen sie mir ans Herz und ich half den Steinadlereltern so gut ich konnte. Hin und wieder saugte ich sogar aus der nahen Höhlenwand Würmer heraus, zerkaute sie und fütterte damit Joe, Löwe und Frances.

Doch so schnell wie sie mir ans Herz gewachsen waren, so schnell wurden sie auch flügge und verließen das Nest. Löwe ging seinen eigenen Weg und ich habe ihn nie mehr gesehen. Das ist okay. Er ist eben Löwe und sein eigener Steinadler. Joe besuchte mich in meinem letzten Jahr regelmäßig in der Höhle und auch Frances Houseman kam hin und wieder vorbei. Dann saugte ich für sie Würmer aus der Wand und fütterte sie.

Eines Tages aber kam Frances Houseman mich besuchen und hatte ihrerseits einen Wurm im Schnabel. Das war noch nie vorgekommen. Sie spuckte ihn auf den Höhlenboden und trampelte auf ihm herum. Dann flog sie zur Höhlenwand, nur um wie von der Schlange gebissen an ihr herumzupicken. Schließlich landete sie auf meinem Schoß und sperrte den Schnabel weit auf. Das Zeichen, dass ich sie füttern sollte. Ich verstand.

Post fünf

Wenn ich Frances Houseman zeigte, wie man Würmer aus der Wand saugt, bestand die Möglichkeit, dass sie nie mehr zurückkehrte, um mich zu besuchen. Wozu? Sie könnte sich die geliebten Würmer selbst beschaffen. Sie bräuchte mich dann nicht mehr.

Und da verstand ich wirklich. Meine Oma hatte mich nicht aus böser Absicht heraus angelogen. Sie will die Dynamik unserer Beziehung aufrechterhalten. Sie wollte, dass ich sie auch weiterhin besuchen komme und ihr von ihrem Kartoffelsalat vorschwärme. Sie wollte, dass ich ein kleines bisschen niemals flügge werde, damit ich immer wieder zurückkommen muss. Deswegen rufe ich ihr und allen Omas dieser Welt zu:

Wir werden euch immer besuchen. Habt keine Angst. Ihr seid mehr als euer Kartoffelsalat. Ihr seid mehr als eure Frikadellen. Ihr seid mehr als Versorgerinnen. Ihr werdet geliebt, dafür, wer ihr seid, und nicht dafür, was ihr bereitstellt. Gebt den Kartoffelsalat frei! Wir werden immer zurückkommen. Denn Mayonnaise selber zu machen, ist echt anstrengend. Shit. Keine Empfehlung. 1/5 Sternen.

Versuch über die Beantwortung der Frage, wie oft der Komet einschlägt, anhand des Songs »Komet« von Udo Lindenberg und Apache 207

Oder: Bei wem der Komet zweimal einschlägt, der hat den doppelten Dachschaden

Geschrieben für meinen Freund und Kollegen Noah Klaus, mit einer Verbeugung

Anfang des Jahres 2023 hat uns die Pop-Musikindustrie einen Song in die Radios gespült, der uns seither verwirrt zurücklässt. Wäre die Intellektualität eine Stadt, ihre Bürgermeisterin würde besorgt die Stirn in Falten legen.

Mit »Komet« gehen Udo Jürgens und Apache 123 eine Fusion ein, die niemand für nötig gehalten hat. Und das zurecht. Zu keinem Zeitpunkt wurde jemals in schmierigen Eckkneipen oder bei geheimen Rap Battles unter Eisenbahnbrücken der Satz in schale Biere gemurmelt:

»Weißte, wer ma wat zusammen machen müsste? Smudo Lindenbaum und Apache 456.«

Was bewegt einen gestandenen, respektablen Künstler – wie es der eine von den beiden zweifellos ist – zu einer Zusammenarbeit mit einer derartigen Kanaille – wie es der andere von den beiden zweifellos ist? Ich habe diesen Witz mit beiden Namen in beiden Reihenfolgen getestet und Tatsache bleibt einfach, dass ich mich für beide nicht genug interessiere. Ich bin weder mit dem Werk von Judo Würgens noch dem von Apache 789 vertraut. Ich frage mich nur, wer die Zielgruppe für den Song ist. Omis, die im Ghetto wohnen?

Als ich die Kombination Udo Blindelinde und Apache 0815 das erste Mal gehört habe, dachte ich, es wäre wieder 2013. Denn entweder habe ich 2013 eine pfiffige Mische aus Crack, Asbest und McDonald's BBQ-Soße geraucht und daher das Jahr in einer Psychose verbracht oder Sido und Helge Schneider haben ein gemeinsames Lied veröffentlicht. Punkt. Erst mal Punkt. Das reicht eigentlich schon. Aber dann auch noch ein Lied mit folgendem Refrain:

»Was ist nur los mit diesem Land?
Alle gehen arbeiten, nur ich nicht
Was ist nur los mit diesem Land?
Bei uns zuhause wohnt ein rosa Elefant«

Genau wie der Terminator, die 80er oder ein Mann mit einem invertierten Penis – alles kommt zurück. (Bitte denken Sie da nicht zu genau drüber nach. Lassen Sie das einfach an sich vorbeiziehen.)

Deswegen veröffentlichen zehn Jahre später eben Udo Rindenberg und Apache 110 den Song »Komet«. Welcher bleivergiftete Glöckner verheiratet hier alle zehn Jahre Rapper und Oppas?

In »Komet« lautet der Refrain:

»Und wenn ich geh, dann so, wie ich gekommen bin
Wie ein Komet, der zweimal einschlägt [...]«

Der Song wurde übrigens geschrieben von Udo Schlindenberch und Volkan Yaman selbst, Chris James, Lennard Oestmann, Marco Tscheschlok, Aris Pehlivanian.

Das sind sechs Leute. Selbst wenn einer diktiert, einer den Stift hält und die anderen vier ein Blatt Papier an jeweils einer Ecke festhalten, um es so unter dem Stift zu bewegen, dass dadurch Buchstaben entstehen, sind das immer noch *zu viele* Leute, um am Ende mit einem Refrain dazustehen, in dem es heißt:

»Wie ein Komet, der zweimal einschlägt«

Kometen neigen nicht dazu, zweimal einzuschlagen. Kleiner astronomischer Fun Fact. Oder haben Sie schon mal von einem Kometen gehört, der einschlug und dann meinte: »Das war spaßig! Das machen wir nochmal!«

Übrigens noch ein astronomischer Fun Fact zum Unterschied zwischen Kometen, Asteroiden, Meteoren und Meteoriten: Kometen sind kleine Himmelskörper von einigen Kilometern Durchmesser, die in den sonnennahen Teilen ihrer Bahn durch Ausgasen einen leuchtenden Schweif entwickeln. Im Unterschied dazu sind Asteroide, Meteore und Meteorite etwas anderes.

Doch kommen wir zum zentralen Punkt des Textes. Entgegen der Stimmung, die ich bisher erzeugt habe, möchte ich kein Werturteil über den Song fällen. Das steht mir nicht zu. Ich schreibe meine eigenen Texte oft während Shows auf der Bühne fertig. Viele der Blätter, von denen ich ablese, sind leer. Selbst in diesem Buch ist mindestens ein unvollständiger Text.

Ich möchte nur eine Frage in den Raum stellen: Wie oft genau schlägt der Komet im Song jetzt eigentlich ein?

Und damit herzlich Willkommen zu meinem TED TALK! Beim ersten Hören mag man vielleicht auf die Idee kommen, dass der Komet zweimal einschlägt, WEIL DIE DAS JA SAGEN. Ich möchte jedoch die Theorie aufbringen, dass er sogar viermal einschlägt!

Sie (der Mensch, der diesen Text liest/hört): »WAS?!« (Ich bedanke mich an dieser Stelle für Ihre Mitarbeit.)

JAHA! Lassen Sie es mich Ihnen mathematiken. Es heißt da nämlich:

»Und wenn ich geh, dann so, wie ich gekommen bin
Wie ein Komet, der zweimal einschlägt«

Wie ein zweimal einschlagender Komet bezieht sich dabei auf die Art und Weise des Kommens. Oder anders ausgedrückt: Als er kam, tat er das wie ein Komet, der zweimal einschlägt. Wenn er nun aber wieder geht und das so tut, wie er gekommen ist – sprich: zweimal einschlagend –, dann schlägt er dabei noch zwei weitere Male ein und wir haben insgesamt vier Einschläge.

Wenn man besonders spitzfindig ist, mag man so errechnen, dass im Song summa summarum von 4 x 4 = 16 Einschlägen die Rede ist, da die entsprechenden Zeilen in der gesamten Laufzeit viermal wiederholt werden.

Ist man aber noch spitzfindiger, wird man anmerken, dass die vier Wiederholungen des Refrains nicht als zusätzliche Einschläge gewertet werden können. Nur weil man etwas wiederholt, wird es dadurch nicht zwangsläufig mehr, sonst würde man immer reicher werden, je öfter man sein Geld zählt. Und das gilt nur für Donald Trump. Allein die vier ursprünglichen Einschläge beziehen sich tatsächlich auf die Leben der Künstler. Und hier liegt ein weiterer Hase im Pfeffer begraben. Ob der Hase dort begraben liegt, weil er dort einschlug, und wie oft, würde den Rahmen dieses Essays sprengen.

Der Vorgang des »Gehens« bezieht sich in der Metaphorik des Songs auf das Sterben. Gemäß poetischer Symmetrie müsste sich das »so, wie ich gekommen bin« folglich auf die Geburt beziehen. Nun frage ich mich aber dringend, was Mutter Lindenzwerg und Mutter 3,14159... dazu sagen, dass ihre Geburtsvorgänge mit zweimal einschlagenden Kometen verglichen werden. Da wir nun aber den Punkt erreicht haben, an dem Mütter mit in die Sache hineingezogen werden, wollen wir lieber schnell zum Ende kommen.

Die Antwort auf unsere kardinale Frage scheint also irgendwo zwischen 1 und 16 zu liegen. Ich habe das einmal tabellarisch aufgeführt:

Denkschule	**Anzahl der Einschläge**
Realismus	1
Hermeneutischer Intentionalismus	2
Meine Interpretation (beste)	4
Fundamentalismus	8
Dadaismus	Fümms bö wö tää zää Uu
Schlaumeierismus	16

Einige unseriöse Kolleg*innen haben sogar bis zu 128 Einschläge errechnet. Emotional mag das richtig sein – auch ich hatte das Gefühl, wenn der Song im Radio gespielt wurde, 128 Einschläge hinter mir zu haben. Aber man kann viel errechnen, wenn der Tag lang und das Gehirn ein Blumenkohl ist.

Abschließend möchte ich allerdings die Hypothese aufstellen, dass eine Deutung existiert, mit der alle recht haben und sich auch das grundlegende Problem der schiefen Metapher lösen lässt. Ein Objekt aus dem Weltraum, das zweimal einschlägt – ja, sich vielleicht sogar nach dem ersten Einschlag erneut in die Lüfte erhebt, um dann (mehrmals) wieder einzuschlagen ... Wer denkt da nicht an ein UFO? Und hier kommt der Rapper Ufo361 ins Spiel. Bekannt durch Songs wie »Für die Gang« (2017) oder »Scheiß auf eure Party« (2016) hat Ufo361 eine offenkundige Gemeinsamkeit mit Apache 206. In ihren Namen zeichnet sich ein mysteriöser Zahlencode ab, der nur für Eingeweihte seine düstere Bedeutung entfaltet. Bildet man die Quersumme aus 206, so ergibt sich 8. Bildet man weiterhin die Quersumme aus 361, so ergibt sich 10. 10 minus 8 ist 2 ... 2 – wie der Komet, der *zweimal* einschlägt. Kann das Zufall sein?! Auf keinen Fall! Besonders dann nicht, wenn man so wie ich einen Zusammenhang konstruiert. Die Botschaft aber könnte nicht klarer sein!

»Und wenn ich geh, dann so, wie ich gekommen bin
Wie ein Komet, der zweimal einschlägt«

Udo Lindenberg und Apache 207 wollen uns offensichtlich mitteilen, dass sie zwei (schon wieder zwei!) Außerirdische sind, die mit einem UFO auf der Erde gelandet sind und diese bald wieder zu verlassen gedenken.

Ich sage nicht, dass das die Wahrheit ist. Ich sage nur, dass, sollte ich nach der Veröffentlichung dieses Buches unter ungewöhnlichen Umständen verschwinden ... Aber denken Sie für sich selbst.

Die Harald-Töpfer-Experience (Escape Room)

Das Problem war jetzt nicht, dass wir mit dem Escape Room an sich überfordert gewesen wären. Das Problem war viel eher, dass wir uns vorher auf dem Weihnachtsmarkt jeweils vier Glühwein reingezwiebelt hatten.

»Wir«, das waren mein guter Freund Klausi und ich. Klausi ist ein blitzgescheiter Kerl, herzensgut wie eine Blumenwiese an einem Sommertag und er hat ADHS von den Fußsohlen bis rauf in die Haarspitzen. Er ist der Meinung, dass sein ADHS eine Superkraft ist und keiner weiteren therapeutischen Unterstützung bedarf. Ich bin Fan dieser Selbstakzeptanz und finde sein ADHS wunderschön, außerdem bin ich der Meinung, dass er dringend seine Medikamente nehmen sollte. Aber man muss sagen, er hat das gut im Griff, und ob Medikamente oder keine, spätestens nach dem dritten Glühwein neigt er dann ohnehin zu einer gewissen geistigen Verteiltheit ... über mehrere Räume ... die für viele Menschen gar nicht einsehbar sind. Man kann also sagen, wir spielten mit erhöhtem Schwierigkeitsgrad. Beide stralledicht, Klausi unfähig, sich für drei Sekunden zu konzentrieren, und ich mit einer mysteriösen, tiefgreifenden Entwicklungsstörung, die mich cool und sexy macht.

Der Escape Room – beherbergt in einem relativ unscheinbaren Wohnhaus neben einem Galeria Kaufhof – war im Stil der Harry-Potter-Welt eingerichtet. Viele Escape Rooms haben irgendein Thema, ein Szenario, ein Motiv wie zum Beispiel »Film Noir Detektivgeschichte« oder »Rette Bochum vor dem Joker« oder »Brich aus dem fahrenden Zug aus, denn dein Sitznachbar möchte sich unterhalten«. Hier war das Motiv eben Harry Potter.

Oder eben genau nicht Harry Potter. Anscheinend hatte man sich die Nutzungsrechte nicht leisten können, weshalb es insgesamt so wirkte, als hätte man den gesamten Escape Room billig gefälscht aus einem Kofferraum gekauft. Die Harald-Töpfer-Experience.

Die Spielleiterin ließ sich davon allerdings nicht irritieren. Zügig und mit Begeisterung erklärte sie uns die Regeln und das Szenario. Dann erklärte sie uns die Regeln und das Szenario nochmal – langsam und mit einfacheren Wörtern. Dabei stellte sich heraus: Unsere Aufgabe als frischgebackene Absolventen der Zauberakademie Castrop-Rauxel war es, in der Winkelseitenstraße fünf magische Münzen mit dem Zeichen des dunklen Lords Waldemar zu finden, um dadurch in dessen Reihen aufgenommen zu werden. So weit, so rechtefrei.

Doch dann fing sie mit dem Rollenspielteil an, der oft am Anfang von Escape Rooms steht, um für die richtige Stimmung zu sorgen, aber meistens einfach nur sehr unangenehm ist. Sie machte ihre Sache sehr gut, das muss man sagen. Leider hatte sie nicht mit zwei besoffenen, neurodivergenten Heiopeis wie uns gerechnet.

»So, so«, sprach sie mit verstellter Stimme, »ihr seid also die neuen Rekruten des dunklen Lords, wie?«

Klausi »fixierte« sie mit einem fahrigen Blick. Ich hab ihn selten so konzentriert erlebt. Ihre Nasenspitzen waren vielleicht noch fünf Zentimeter voneinander entfernt. Dann hauchte er: »Ich würde alles tun für Dark Daddy.«

Ich zog ihn von ihr weg, denn wir wollten ja vielleicht nochmal wiederkommen. Aber selbst diese Dulli-Aktion brachte die Spielleiterin nicht von ihrem Rollenspiel ab.

»Eieiei, da haben wir wieder nur den Bodensatz als neue Rekruten bekommen können. Passt auf, weil ihr zwei nicht die Hellsten zu sein schein...«

»He!«, warf ich ein. »Ich hatte ein Ohnegleichen in Kräuterkunde!«

»Wie ich bereits sagte: Weil ihr nicht die Hellsten zu sein scheint, gebe ich euch diese Laterne mit. In ihr wohnt ein Gnom. Der gibt euch Tipps, wenn ihr nicht weiter wisst. Und nun geht los und besorgt mir die fünf Münzen für den dunklen Lord.«

Im Stillen beschloss ich, bei jedem Ratschlag des Gnoms aus der Laterne das exakte Gegenteil zu tun, denn niemand macht mir Vorschriften, dann schob uns die Spielleiterin in den Raum und schloss die Tür.

Eine gute Strategie zum Lösen von Escape Rooms ist es übrigens, am Anfang alle Hinweise, Rätsel und Gegenstände, die man findet, zentral zusammenzutragen, sich dann einen groben Überblick zu verschaffen und vor allem zu kommunizieren. Klausi und ich entschieden uns für die Strategie, uns erst mal 'ne Viertelstunde hinzulegen.

Als wir nach 30 Minuten wieder erwachten, waren wir bereit, mit frischer Kraft ans Werk zu gehen. Innerhalb weniger Augenblicke hatte ich zwei Schlüssel gefunden und ein paar viereckige Holzplättchen mit Buchstaben darauf. Klausi hatte in derselben Zeit eine Kellerassel gefunden, einen Türrahmen ausgebaut und einen der Schlüssel, die ich gefunden hatte, wieder verloren.

Ratlos standen wir im Raum. Das Dekor erweckte den Eindruck einer Hinterhofgasse in London. Backsteine, Efeu, Messingschilder. Ohne Frage war unsere erste Aufgabe, in die Winkelseitenstraße selbst vorzudringen. Aber wie?

In dem Moment meldete sich auch schon der Gnom in der Laterne zu Wort. Er sprach ebenfalls mit der Stimme der Spielleiterin nur anders verstellt: »Vielleicht sollte der eine der jungen Herren den Blick mal nach links wenden.«

Ich schaute nach rechts.

»Nein, das andere links.«

Ich schaute nach oben.

»Ähm … LINKS!«

Klausi nahm mir die Laterne aus der Hand und aß sie. Dann rülpste er und sprach: »Jetzt ist hier mal Ruhe.«

Widerwillig schaute ich nach links. An der Wand erkannte ich einige sich kreuzende horizontale und vertikale Rechtecke. Sie waren von unterschiedlichen Längen, aber dafür alle in gleichgroße quadratische Felder aufgeteilt. Hier und da klemmte in einem dieser Felder ein Holzplättchen mit einem Buchstaben darauf, wie ich sie bereits kannte. Mit weit aufgerissenen Augen schaute ich Klausi an.

»Klausi! Ein Sudoku!«

»Jan Philipp, das ist ein Kreuzworträtsel, du Vitaminmangelerscheinung«, entgegnete Klausi. »Sudokus sind doch auf Japanisch!« Dann wandte er sich ab.

Das konnte ich nur als Arbeitsteilung verstehen. Sehr gut. So würden wir schneller vorankommen.

Obwohl ich unter dem Kreuzworträtsel eine Schriftrolle mit den zugehörigen Fragen fand, stellte sich die Bearbeitung als unverhältnismäßig schwierig heraus. Die Fragen an sich waren leicht. Ich kenn mich im Harry-Potter-Universum gut aus. Problematisch war allerdings die Übersetzung der korrekten Antworten in die urheberrechtsfreie Version, die hier praktiziert wurde. Natürlich wollten sich die Betreiber des Escape Rooms nicht dem Risiko, verklagt zu werden, aussetzen, aber musste ich mich deswegen fühlen wie der irre Autor einer Harry-Potter-Porno-Parodie, der mit Bauklötzen das Drehbuch an die Wand tapeziert?

Klar, als aus der Zaubererbank Gringotts – 10 waagerecht – das Dortmunder Bier »Brinkhoffs« wurde, da bin ich mitgegangen. Das hat regionalen Charme im Ruhrgebiet. Auch der unverzeihliche Todesfluch – 14 senkrecht – »Avocado Kadaver« entlockte mir ein Schmunzeln, das gebe ich gerne zu. Aber dann verwandelte sich der liebenswerte Wildhüter Hagrid in – 6 waagerecht – »Jürgen«! Da bin ich gedanklich ausgestiegen.

Nichtsdestotrotz hatte ich bald darauf alle Buchstaben korrekt in ihre Felder eingebaut, wodurch sich auch das Lösungswort ergab. Es lautete: »Fümms bö wö tää zää Uu« … Vielleicht ein Zauberspruch, den ich nicht kannte?

Doch dann stellten sich meine Bemühung als insgesamt recht unnötig heraus, denn Klausi war unterdessen natürlich nicht untätig gewesen. Fachmännisch hatte er einen Teil der Backsteine entfernt und dadurch eine Art Geheimgang freigelegt. »Komm, Jan Philipp, hier geht's weiter.«

Kaum hatten wir uns runtergebeugt und angefangen, zu kriechen, als plötzlich eine bekannte Stimme aus Klausis Bauch drang: »He, Moment mal! Nicht da reinkriechen, bitte!«

»Schnauze!«, rief Klausi und boxte sich in die Magengrube.

Und ich sah das genauso. Da hatte er recht. Wir machten gut Strecke und waren nicht auf Hilfe angewiesen.

Wenig später kamen wir auf der anderen Seite des Geheimgangs raus und die Stimmung im Escape Room änderte sich schlagartig. Wir wurden von einem grellen Licht geblendet und vor uns reihten sich auf Regalen und Podesten bunte Fläschchen und Phiolen in vielfältigen Formen und Farben auf. Anscheinend hatten wir eines der Geschäfte der Winkelseitenstraße erreicht – eine Apotheke für Zaubertränke oder ein alchemistisches Labor. Gemeinsam betrachteten wir die wundersamen Tinkturen.

»Das kenn ich«, meinte Klausi.

»Echt?«

»Japp, das ist das Zaubertrankrätsel von Snape – oder wie er hier heißt: ›Snake‹ – aus dem ersten Buch. Auf dem Weg zum Stein der Weisen. Du kennst das.«

»Stimmt!«, ich kannte das.

»Wir müssen davon trinken, um weiterzukommen.«

»Absolut! Das ergibt Sinn.«

Wir öffneten jeweils einen der Flakons und tranken.

Was danach passierte, weiß ich nicht mehr. Ich bin mir aber sehr sicher, dass Klausi und ich den Escape Room auf jeden Fall gelöst und dabei vielleicht sogar einen neuen Rekord aufgestellt haben.

Leider sprechen die Aufzeichnungen der Überwachungskameras des Galeria Kaufhofs eine andere Sprache. In feinstem HD ist da zu erkennen, wie Klausi und ich in einer Douglas-Filiale aus der Wand brechen und dann anfangen, willkürlich aus Parfümflaschen zu trinken. Was auch erklärt, weshalb ich bis heute aus dem Hals nach Bergamotte rieche. Danach sieht man uns durch diverse andere Läden randalieren, wobei wir immer wieder abwechselnd rufen: »Escape Room!«

Ironischerweise ist es uns nicht gelungen, aus dem Galeria Kaufhof selbstständig wieder herauszufinden. Zuvor hat uns der alkoholische Schlaf eingeholt. Lachend zeigt uns der Polizist die Stelle im Video. Man sieht mich, eingekuschelt in ein Kleidungsrondelle, wie ich einen vibrierenden Stabmixer streichle und dabei deutlich hörbar flüstere: »Schweig still, mein Zauberstab. Du musst keine Angst haben. Es ist nun Zeit, schlafen zu gehen.«

Auch Klausi ist gut zu erkennen. Er ist nackt und steht aufrecht in der Salatbar des angeschlossenen Restaurants. Er pinkelt dort auf die Artischockenherzen, was geschmacklich redundant ist, und brüllt dabei aus voller Kehle »Hedwig's Theme« von John Williams.

Nachdem wir alles erklärt haben und der Polizist überzeugt ist, dass wir keine geistesgestörten Hooligans sind oder so 'ne Art Terroristen mit Harry-Potter-Fetisch, frage ich, ob wir gehen können.

Der Polizist meint: »Nein.«

Er werde uns in einen anderen Escape Room bringen. Der sei aber deutlich schwerer. Für den bräuchten wir wohl so vier bis sechs Monate.

Ich komm erst raus, wenn ich diesen Escape Room komplett gelöst habe!
Jan Philipp, das ist die Küche. Bitte komm raus und feier mit uns Weihnachten.

Bei Lektora erschienen

Jan Philipp Zymny

»Best of Unsinn«

Nach zehn Jahren auf Poetry-Slam- und Kabarett-Bühnen ist es so weit: Der Meister der Absurdität und des groben Unfugs fasst seine Texte zu einem Best-of zusammen.

Jan Philipp Zymnys versammelt hier seine berühmtesten schrägen Ideen, er setzt den Detektiv Henry Frottey neben die rauchende Yogalehrerin Gisela, er lässt eine Prinzessin zum Monstertruck werden und irgendwo mittendrin dürfen wir lesen, wie es ist, sich in einem schwedischen Möbelhaus zu verlaufen – und keinen Ausweg zu finden.
Neben den bekannten und begehrten Texten findet man in seinem Best-of auch neues und unveröffentlichtes Material.

Dieses Buch ist etwas für Slam-Affine, Zymny-Groupies und Menschen, die auch gut über Skurriles lachen können.

ISBN: 978-3-95461-153-9
16,00 Euro

www.lektora.de

Bei Lektora erschienen

Jan Philipp Zymny

»Grüß mir die Sonne!«

»Etwas packt mich am Kragen, dann werde ich aus dem Laden geschleift. Ein letztes Aufbäumen, ein Blick in Zugrichtung offenbart ein blaues Huhn. Ich weiß, dass es nicht wirklich existiert. Und außerdem heißt es Milton.«

Sein neuer Roman »Grüß mir die Sonne!« zeigt Jan Philipp Zymny in Bestform: wortgewaltig wie immer, mit zahlreichen aberwitzigen und überraschenden Wendungen – und dieses Mal zudem literarisch äußerst sensibel. Ein sehr persönliches Buch mit viel Witz und einer tiefen Bedeutungsebene.

Die Geschichte um einen von der Realität über alle Maßen irritierten Außenseiter wirft einen ehrlichen Blick auf Wahn und Wirklichkeit, um für sich einen echten Platz zu finde, wo es sich zu bleiben lohnt.

ISBN 978-3-95461-096-9
12,90 Euro

www.lektora.de

Bei Lektora erschienen

Jan Philipp Zymny

Henry Frottey

Sein erster Fall: Teil 2 – Das Ende der Trilogie

Eine Mordserie hält die Bürger von Schikargo in Atem. Doch der berühmte Privatdetektiv Henry Frottey hat keine Zeit, vor dem Fernseher zu sitzen und sie zu verfolgen. Er klärt lieber Verbrechen auf. Eine neue Entität arbeitet sich an die Spitze der Unterwelt vor und ihr Weg ist gepflastert mit seltsamen Morden, die so verzwurbelt sind, dass nur Henry sie vermittels seines genialioesken Verstandes und der Macht der Prokrastination zu lösen vermag. Relativ desinteressiert stolpert er durch die Straßen, macht einer schönen Frau Avancen und Urlaub, besucht den Jahrmarkt und ist dabei trotzdem den merkwürdigen Ereignissen in seiner Stadt stets nur einen Schritt schrägonal links auf den Fersen. Doch, als wäre das alles nicht genug, stellen sich dem Detektiv immer wieder seine alten Feinde in den Weg: Türen! Grrr.

Der erste Roman von Jan Philipp Zymny erzählt nicht nur die Geschichte des verrückten Privatdetektivs Henry Frottey, sondern webt einige seiner bekannten Poetry-Slam-Texte wie zum Beispiel »Awesome«, »Bärenkatapult«, »Fahrschule«, »Zoo« oder »Ein chinesisches Märchen« mit feinen Fäden in die Geschichte ein.

ISBN 978-3-95461-020-4
16,00 Euro

www.lektora.de